L'ATLAS GÉOPOLITIQUE & CULTUREL

DU PETIT ROBERT DES NOMS PROPRES

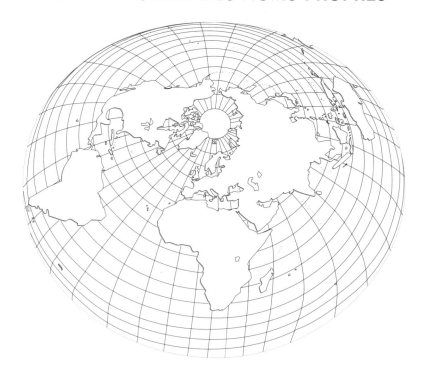

80 cartes

Les grands enjeux démographiques, économiques, politiques,
sociaux et culturels du monde contemporain.

DICTIONNAIRES LE ROBERT · 27, RUE DE LA GLACIÈRE 75013 PARIS

Direction générale
Pierre VARROD

Conception et direction éditoriale
Carl ADERHOLD

Conseil éditorial et rédaction
Patrick ÉVENO

Secrétariat de rédaction
Michèle LANCINA

Secrétariat d'édition
Nadine NOYELLE

Documentation
Laurent NICOLAS, Nadine NOYELLE

Iconographie
Nadine GUDIMARD

Direction artistique
Gonzague RAYNAUD

Cartographie
Société CART

Couverture
CAUMON

Conception et réalisation
Pierre TAILLEMITE

Les Dictionnaires Le Robert remercient les personnes suivantes pour l'aide bienveillante qu'elles ont apportée à cet ouvrage sur tel ou tel point particulier :
Anne CHARRIER, Pierre-Alain COFFINIER, François HUEBER, Jean RADVANYI, Michel ROUX, Michel VAN LEEUW.

Crédits photographiques :
Couverture : © Photonica
Quatrième de couverture : Néfertiti © Arch. Smeets ; Canova © Dagli Orti ; Masque indien © Musée de l'Homme, Paris ; Opéra de Paris Bastille © Dagli Orti ; Jeune fille massaï © Charles Lénars ; La mer Rouge © USIS-DITE
Documents intérieurs : pp. 6-7 : DR ; pp. 10-11 : Paysage d'Oklahoma, E.-U. © Stone/Ch. Doswell ; pp. 16-17 : Bombay © Hoa Qui/Globe Presse/A. Evrard ; pp. 30-31 : Bourse de Düsseldorf © Hoa Qui/Zefa/Rosenfeld ; pp. 38-39 : Satellite © Stone/TSW Shoot ; pp. 52-53 : Globes terrestres © Stone/M. Romine ; pp. 62-63 : Famille marocaine © Stone/R. van der Hilst ; pp. 70-71 : Étudiantes vietnamiennes © Stone/K. Su ; pp. 84-85 : Échangeur d'autoroutes, E.-U. © Stone/ M.R. Wagner ; pp. 98-99 : Jeune femme européenne © Gamma/G. Saussier ; pp. 124-125 : Saint-Pétersbourg © Hoa Qui/ B. Wojtek ; pp. 130-131 : Centre culturel J.-M. Tjibaou, Nouméa © Sygma/J. Langevin, avec l'accord de Renzo Piano Building Workshop Architects.

Préface

Cet atlas a pour visée de compléter le *Petit Robert des noms propres*, en fournissant des aspects synthétiques qu'un ouvrage alphabétisé ne peut fournir. Source de tout répertoire de noms propres, la structure de *notoriété*, évoquée par Alain Rey, connaît en effet une rapide transformation. Son éclatement, voire sa dilution, en rapport avec l'accélération de la circulation de l'information, condamne le dictionnaire soit à s'engager dans une course-poursuite perdue d'avance avec les nouveaux médias, soit à se replier sur les bases traditionnelles du savoir. Mais il prend alors le risque de voir son contenu s'éloigner des centres d'intérêt de l'utilisateur contemporain. Afin de pallier cet inconvénient, le principe d'un atlas nous est apparu comme un moyen de jeter une passerelle entre la culture développée dans le dictionnaire, culture ordonnée mais statique, et une actualité en mouvement, mais qui doit être replacée dans son contexte.

L'atlas du *Petit Robert des noms propres* tente un tour du monde en 80 cartes, détaillant les grands enjeux, mondiaux dans une première partie, puis régionaux dans une deuxième partie. Il s'agit de montrer les évolutions à l'échelle planétaire, tant climatiques ou démographiques que politiques ou culturelles.

Les cartes de cet atlas ont été conçues sous un angle évolutif. Ainsi, le planisphère politique qui ouvre l'ouvrage en recensant tous les États, présente également une localisation de l'essor de la démocratie au XXe siècle. Cette volonté dynamique se double d'un souci de mise en perspective, parfois historique, la carte des grandes puissances coloniales mettant en évidence les impérialismes dont l'héritage continue de peser sur le devenir de nombreux pays d'Afrique ou d'Asie. L'aspect culturel est également représenté. Ainsi, l'expansion des télécommunications (Internet, le téléphone...) est mise en parallèle avec le taux d'alphabétisation et la production de livres, afin d'esquisser une géographie de la culture. Ou bien, le problème de la famine en Afrique est mis en relation avec les avancées de la désertification. Un lecteur attentif, en voyageant parmi ces cartes, pourra voir s'opposer les zones en crise (corne de l'Afrique, Afrique subsaharienne, Caucase, Asie sèche) et les zones prospères. La géographie physique n'a pas été oubliée, dans ses effets sur la géographie humaine, et les ressources en eau ou les zones d'accidents climatiques ont été cartographiées.

Une attention toute particulière a été accordée aux sources d'information. Grâce à Laurent Nicolas et à Nadine Noyelle, les rapports les plus récents de l'ONU et de ses divers organismes (FAO, OMS, HCR...) ainsi que ceux de l'Organisation mondiale du commerce ont été utilisés pour établir les cartes. De même les zones de pauvreté en Grande-Bretagne ont été répertoriées à partir du rapport du ministère britannique de l'Économie et des Finances paru en mars 1999.

Des graphiques ont été ajoutés, le cas échéant, afin de fournir des éléments quantifiables.

Nous avons décidé avec CART, qui a réalisé la cartographie de cet atlas, d'utiliser deux types de projection selon la nature du sujet traité. La projection « équivalente elliptique », qui conserve les rapports de surface de la terre, a été retenue pour traiter les sujets d'échelle mondiale (les grandes religions…). La projection dite « aphylectique équidistante », centrée sur le pôle Nord, a été choisie pour représenter les échanges et les relations économiques (les flux migratoires…). Ainsi la carte des principales places boursières est centrée sur le pôle afin de mieux faire percevoir l'extrême fluidité des capitaux d'une bourse à l'autre, tandis que la projection équivalente elliptique a été retenue pour rendre compte du poids de l'endettement de chaque pays. Des anamorphoses ont également été utilisées, afin de visualiser des surfaces proportionnelles à des quantités statistiques et non plus aux réalités géographiques, ce qui permet de saisir immédiatement le thème traité (par exemple l'évolution de la population, le poids de la Chine et de l'Inde).

Pour chaque sujet traité, un court texte rédigé par l'historien Patrick Éveno, souligne les principaux points que la carte illustre et apporte un regard synthétique sur la question.

Enfin, la rubrique « Consulter… » invite le lecteur à se reporter aux articles du *Petit Robert des noms propres* où il pourra trouver des informations complémentaires sur le thème de la carte. Par ailleurs, de nombreux renvois ont été ajoutés, allant des entrées du dictionnaire vers l'atlas.

De cette manière, nous espérons que l'ouvrage remplira mieux encore sa véritable fonction, qui n'est pas de coller à l'actualité immédiate, comme le fait un journal, mais implique de créer des liens entre le temps bref de l'événement et celui des évolutions lentes. La carte des minorités en Europe centrale et orientale, par exemple, donne un panorama des zones en bouleversement, tandis que les articles du dictionnaire (auquel il est renvoyé depuis la carte) permettent de comprendre les clés historiques.

Ainsi, le *Petit Robert des noms propres*, fidèle à sa mission qui est d'expliquer le monde d'aujourd'hui en fournissant son indispensable arrière-plan, tente de favoriser un continuel va-et-vient entre le connu et l'inconnu, le proche et le lointain.

Carl ADERHOLD

Liste des abréviations

A.	Arménie
A-ÉF	Afrique-Équatoriale française
AFG.	Afghanistan
ALB.	Albanie
Alena	Accord de libre-échange nord-américain
ALL.	Allemagne ; allemande
AND.	Andorre
Ansea	Association des nations de Sud-Est asiatique
Anzus	Conseil du Pacifique
A-OF	Afrique-Occidentale française
APEC	Coopération économique Asie-Pacifique
AUT.	Autriche
AZERB.	Azerbaïdjan
B.	Burundi
B.F.	Burkina Faso
B.-H.	Bosnie-Herzégovine
BANGL.	Bangladesh
BEL.	Belgique
BÉN.	Bénin
BRIT.	britannique
C.	Croatie
Caricom	Communauté des Caraïbes
CEDEAO	Communauté économique pour le développement des États de l'Afrique de l'Ouest
CEI	Communauté des États indépendants
CEMAC	Communauté économique et monétaire d'Afrique centrale
CENTRAFR.	République centrafricaine
Dan.	Danemark
É.-U.	États-Unis
EAU	Émirats arabes unis
Fr.	France
FRANç	française
G.	Géorgie
G.-É.	Guinée-Équatoriale
GA.	Gambie
GU.-BISSAU	Guinée-Bissau
H.	Hongrie
HA.	Haïti
hab.	habitant
HOLL.	hollandaise
J.	Jamaïque
JORD.	Jordanie
KIRG.	Kirghizstan
L.	Luxembourg
LI.	Liechtenstein

M	million
M.	Malawi
MA.	Macédoine
MCCA	Marché commun Centre-américain
MO.	Monaco
Nlle	Nouvelle
OCC.	occidentale
OCDE	Organisation de coopération et de développement économiques
OMC	Organisation mondiale du commerce
ONU	Organisation des Nations unies
Opep	Organisation des pays exportateurs de pétrole
ORIENT.	orientale
Otan	Organisation du traité de l'Atlantique Nord
Otase	Organisation du traité de l'Asie du Sud-Est
OUZ.	Ouzbékistan
P.-B.	Pays-Bas
PNB	Produit national brut
PORT.	portugaise
R.	Rwanda
R.F.Y.	République fédérale de Yougoslavie
R.-U.	Royaume-Uni
RDA	République démocratique allemande
RÉP.	République
RÉP. DÉM.	République démocratique
RÉP. TCH.	République tchèque
RFA	République fédérale d'Allemagne
S.	Slovénie
S.L.	Sierra Leone
SACD	Communauté de développement de l'Afrique australe
SACU	Union douanière de l'Afrique australe
SLOV.	Slovaquie
St	Saint
Ste	Sainte
ST-M.	Saint-Marin
T.	Togo
TADJIK.	Tadjikistan
TURK.	Turkménistan
UEMOA	Union économique et monétaire de l'Afrique de l'Ouest
UMA	Union du Maghreb
Visegrad	Accord centre-européen de libre-échange

Pour les cartes « ... dans le monde »

La valeur des importations est recensée CAF (coût, assurance, fret) compris, celle des exportations est recensée FAB (franco à bord). En conséquence, la valeur des importations d'une zone est supérieure à la valeur des exportations de la zone partenaire. Par exemple, les importations africaines en provenance d'Amérique du Nord sont comptabilisées pour 14 milliards de dollars, mais l'Amérique du Nord compte 13 milliards de dollars d'exportation à destination de l'Afrique.

Les problèmes ne se posent plus aux hommes qu'à l'échelle planétaire : depuis plus de trois siècles, la mondialisation des échanges culturels aussi bien qu'économiques, la multiplication des contacts entre les peuples et les civilisations ont fait de tous les humains les citoyens d'un monde. Siècle de l'épanouissement de la modernité technique et scientifique, le XXᵉ siècle fut également celui de la barbarie et des massacres de masse perpétrés au nom de la race, de l'ethnie, de l'État ou du prolétariat. Mais ce siècle est aussi celui du triomphe de la démocratie. L'idéal démocratique, encore incomplet et perfectible, ne cesse de gagner du terrain. Après les désillusions engendrées par l'échec de l'alternative « communiste », le couple capitalisme-démocratie libérale est-il devenu incontournable ? Et il ne faut pas négliger la renaissance des nations sur la scène mondiale et le renouveau des questions identitaires, religieuses, sociales, régionales ou ethniques. La croissance des inégalités, à l'échelle locale, nationale ou planétaire, montre que le chemin est encore long vers un monde plus juste et plus solidaire, sachant prendre en compte l'ensemble des questions évoquées dans les cartes qui composent cet atlas.

PREMIÈRE PARTIE

Le monde
en questions

Le monde politique

Depuis 1995, l'Organisation des Nations Unies compte 185 États membres. Avec la poursuite de la décolonisation et à la suite de l'éclatement de l'URSS et de la Yougoslavie, 27 nouveaux États ont été admis à l'ONU au cours des années 1990-1994. Certes, quelques « confettis » des derniers empires coloniaux sont encore appelés à proclamer leur indépendance, mais le nombre des États indépendants augmentera peu dans les années à venir.

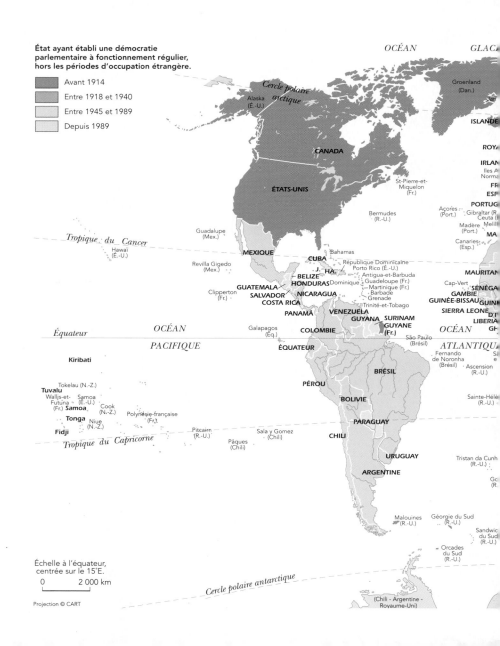

État ayant établi une démocratie parlementaire à fonctionnement régulier, hors les périodes d'occupation étrangère.

- Avant 1914
- Entre 1918 et 1940
- Entre 1945 et 1989
- Depuis 1989

Échelle à l'équateur, centrée sur le 15°E.

0   2 000 km

Projection © CART

Au plan politique, le fait marquant du siècle demeure l'expansion du modèle démocratique. La planète comptait 14 États démocratiques avant 1914, 17 en 1938 et 54 en 1989. La dernière décennie du siècle, avec la fin du système communiste, et, par voie de conséquence de la guerre froide, a vu le phénomène s'amplifier considérablement : 37 nouveaux États, dont les institutions sont certes encore fragiles, sont venus s'ajouter à la liste.

La Terre et l'homme forment un couple solidaire, dont les rythmes diffèrent. Détachée du Soleil depuis environ 4 milliards d'années, la Terre s'est lentement refroidie, constituant à sa surface une croûte solide en évolution, dont les creux sont envahis par les océans. Avec son enveloppe atmosphérique, elle fournit aux espèces vivantes un lieu d'épanouissement unique dans le système solaire. Postérieur à la dernière glaciation du quaternaire, *Homo sapiens sapiens* est âgé de seulement 40 000 ans. Cette espèce a imposé sa marque partout où elle se trouvait, en tirant de la Terre des ressources nourricières et des matières premières pour son industrie. L'accroissement des connaissances techniques et scientifiques et l'expansion du nombre des humains ont multiplié les besoins et la mise en valeur des ressources naturelles.

Toutefois, l'écosystème terrestre recèle encore bien des mystères. Nos ancêtres ont pratiqué une gestion économe, mais parfois imprudente avec les défrichements et la déforestation ou les transferts d'espèces et, involontairement, de virus d'un continent à l'autre. La gestion dispendieuse pratiquée depuis la Révolution industrielle, avec ses émissions de gaz polluants et ses rejets de produits toxiques, pourrait conduire à l'épuisement des ressources et à la modification de l'écosystème terrestre. Les effets à long terme des pratiques industrielles étant mal évalués, le « principe de précaution » s'impose face aux modifications potentiellement irréversibles de l'environnement, qu'elles proviennent ou non de l'action et de l'imprudence humaines.

Aspects physiques

Risques naturels et accidents climatiques

La planète est agitée de mouvements complexes que les scientifiques commencent à comprendre. Le déplacement des plaques tectoniques engendre tremblements de terre, volcanisme et raz-de-marée. Les phénomènes d'échanges thermiques liés à l'interface clima-

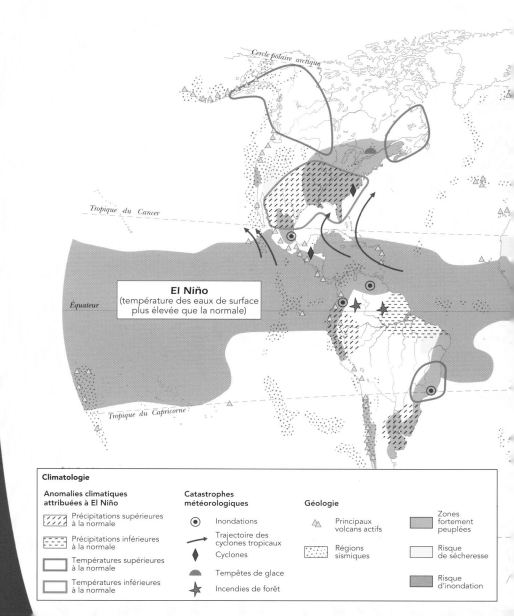

Cercle polaire arctique

Tropique du Cancer

El Niño
(température des eaux de surface
plus élevée que la normale)

Équateur

Tropique du Capricorne

Climatologie

**Anomalies climatiques
attribuées à El Niño**

Précipitations supérieures à la normale	
Précipitations inférieures à la normale	
Températures supérieures à la normale	
Températures inférieures à la normale	

**Catastrophes
météorologiques**

- Inondations
- Trajectoire des cyclones tropicaux
- Cyclones
- Tempêtes de glace
- Incendies de forêt

Géologie

- Principaux volcans actifs
- Régions sismiques

- Zones fortement peuplées
- Risque de sécheresse
- Risque d'inondation

tique entre les océans et l'atmosphère créent de graves perturbations. Ainsi El Niño, augmentation de la température de l'océan Pacifique sud, réchauffe l'atmosphère intertropicale et contribue localement à des incendies de forêts (Indonésie, Philippines et Nordeste brésilien en 1997-1998) et à des inondations catastrophiques (Mexique et Pérou). Ce phénomène cyclique (tous les quatre à sept ans), est parfois suivi de La Niña, refroidissement des eaux de surface du Pacifique sud, qui, en accentuant la mousson, entraîne des inondations (Chine, Bangladesh en 1998-1999).

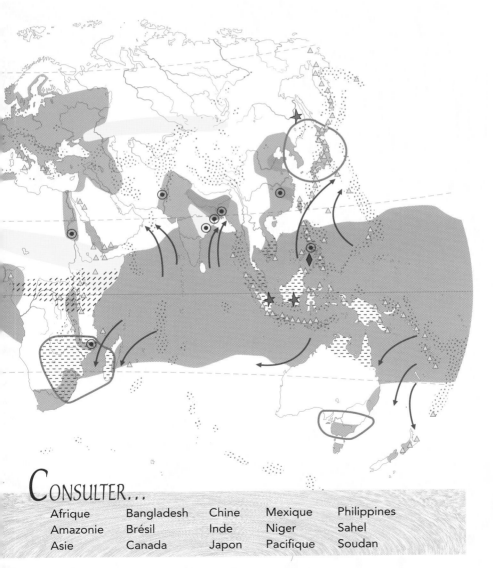

Consulter...

Afrique	Bangladesh	Chine	Mexique	Philippines
Amazonie	Brésil	Inde	Niger	Sahel
Asie	Canada	Japon	Pacifique	Soudan

Les ressources en eau

Les ressources en eau sont abondantes mais fort mal réparties sur la Terre. L'essentiel du stock d'eau, concentré dans les océans et les calottes glaciaires, est presque impossible à utiliser à cause du coût de transport ou de dessalement. Les humains doivent donc compter sur les ressources locales apportées par les précipitations, les fleuves ou les nappes phréatiques. Le coût élevé des infrastructures qui permettent le drainage, l'irrigation ou le traitement des eaux accroît les inégalités, les contraintes économiques renforçant les servitudes climatiques dues à l'aridité ou à l'irrégularité des précipitations, notamment en

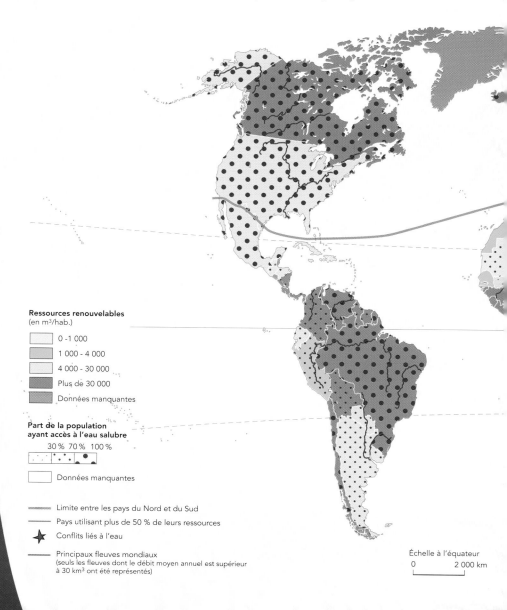

Ressources renouvelables
(en m³/hab.)

- 0 - 1 000
- 1 000 - 4 000
- 4 000 - 30 000
- Plus de 30 000
- Données manquantes

**Part de la population
ayant accès à l'eau salubre**

30 % 70 % 100 %

Données manquantes

Limite entre les pays du Nord et du Sud

Pays utilisant plus de 50 % de leurs ressources

Conflits liés à l'eau

Principaux fleuves mondiaux
(seuls les fleuves dont le débit moyen annuel est supérieur à 30 km³ ont été représentés)

Échelle à l'équateur

0   2 000 km

Afrique subtropicale et dans la zone sèche de l'Asie. La salubrité de l'eau dans les pays pauvres et la pollution dans les pays riches, font de la maîtrise de cette ressource vitale un des grands enjeux du XXIe siècle : un cinquième de l'humanité n'a pas accès à l'eau potable, dont la disponibilité, très élevée dans la zone équatoriale (Congo, Brésil) ou dans les zones froides (Russie, Canada), est plus faible dans les régions tempérées (Royaume-Uni, Allemagne) et devient un problème dans toute la zone aride qui traverse l'Afrique et l'Asie de la Mauritanie à la Mongolie.

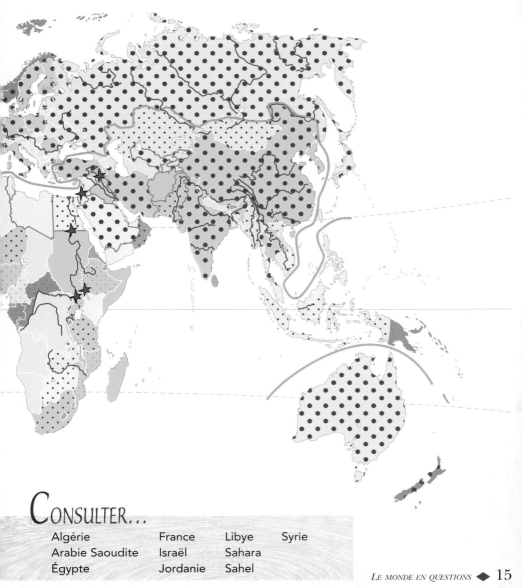

CONSULTER...

Accidents industriels et pollutions récurrentes

L'influence de l'Homme sur les ressources naturelles de la planète est encore mal connue. Le réchauffement climatique, constaté au XXᵉ siècle, s'inscrit dans un cycle pluri-

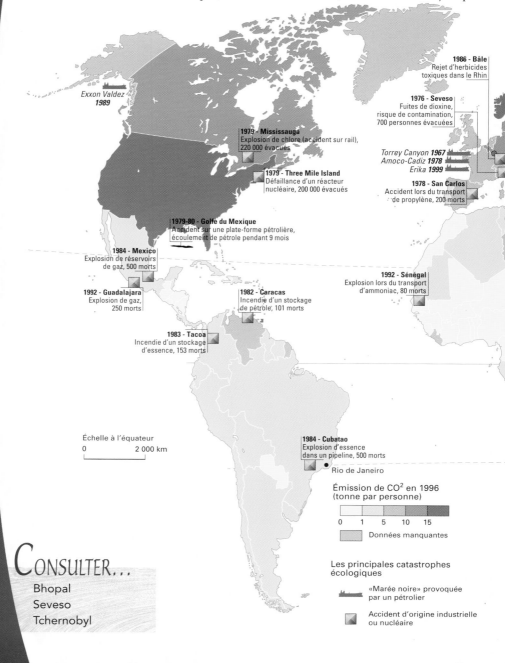

Exxon Valdez
1989

1986 - Bâle
Rejet d'herbicides
toxiques dans le Rhin

1976 - Seveso
Fuites de dioxine,
risque de contamination,
700 personnes évacuées

1979 - Mississauga
Explosion de chlore (accident sur rail),
220 000 évacués

Torrey Canyon *1967*
Amoco-Cadiz *1978*
Erika *1999*

1979 - Three Mile Island
Défaillance d'un réacteur
nucléaire, 200 000 évacués

1978 - San Carlos
Accident lors du transport
de propylène, 200 morts

1979-80 - Golfe du Mexique
Accident sur une plate-forme pétrolière,
écoulement de pétrole pendant 9 mois

1984 - Mexico
Explosion de réservoirs
de gaz, 500 morts

1992 - Sénégal
Explosion lors du transport
d'ammoniac, 80 morts

1992 - Guadalajara
Explosion de gaz,
250 morts

1982 - Caracas
Incendie d'un stockage
de pétrole, 101 morts

1983 - Tacoa
Incendie d'un stockage
d'essence, 153 morts

Échelle à l'équateur
0   2 000 km

1984 - Cubatao
Explosion d'essence
dans un pipeline, 500 morts

Rio de Janeiro

Émission de CO^2 en 1996
(tonne par personne)

0   1   5   10   15

Données manquantes

Les principales catastrophes
écologiques

«Marée noire» provoquée
par un pétrolier

Accident d'origine industrielle
ou nucléaire

Consulter...

Bhopal
Seveso
Tchernobyl

millénaire, aujourd'hui perturbé par les conséquences de rejets polluants dans l'atmosphère. La dégradation de la qualité de l'eau et de l'air résulte soit de catastrophes écologiques, soit de pratiques récurrentes, agricoles et industrielles. Ces pollutions touchent tout le globe, notamment les États-Unis, l'Europe et la Chine, et font désormais l'objet de négociations politiques menées à l'échelle mondiale, sur la base d'un suivi des taux de CO_2 ou de SO_2.

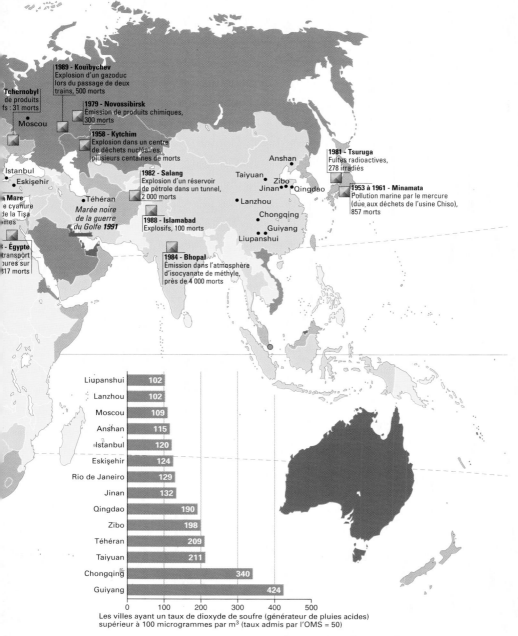

1989 - Kouïbychev
Explosion d'un gazoduc lors du passage de deux trains, 500 morts

Tchernobyl
de produits
fs : 31 morts

Moscou

1979 - Novossibirsk
Émission de produits chimiques, 300 morts

1958 - Kytchim
Explosion dans un centre de déchets nucléaires, plusieurs centaines de morts

Istanbul
Eskişehir

a Mare
e cyanure
de la Tişa
mes

Téhéran
Marée noire de la guerre du Golfe 1991

1982 - Salang
Explosion d'un réservoir de pétrole dans un tunnel, 2 000 morts

1988 - Islamabad
Explosifs, 100 morts

- Égypte
ransport
ures sur
817 morts

1984 - Bhopal
Émission dans l'atmosphère d'isocyanate de méthyle, près de 4 000 morts

Anshan
Taiyuan
Zibo
Jinan Qingdao
Lanzhou
Chongqing
Guiyang
Liupanshui

1981 - Tsuruga
Fuites radioactives, 278 irradiés

1953 à 1961 - Minamata
Pollution marine par le mercure (due aux déchets de l'usine Chiso), 857 morts

Ville	Taux
Liupanshui	102
Lanzhou	102
Moscou	109
Anshan	115
Istanbul	120
Eskişehir	124
Rio de Janeiro	129
Jinan	132
Qingdao	190
Zibo	198
Téhéran	209
Taiyuan	211
Chongqing	340
Guiyang	424

Les villes ayant un taux de dioxyde de soufre (générateur de pluies acides) supérieur à 100 microgrammes par m³ (taux admis par l'OMS = 50)

La population mondiale, quelques centaines de milliers d'hommes au Paléolithique supérieur, s'est accrue à chaque période de mutation technique et sociale. Au Néolithique, entre le Xᵉ et le Vᵉ millénaire avant notre ère, l'invention de l'agriculture et de l'élevage (contemporains de l'écriture) permet d'atteindre rapidement 5 millions d'habitants. La conquête agricole, continue jusque vers 200 ap. J.-C., porte la population à plus de 100 millions. Un troisième cycle a commencé au XVIIIᵉ siècle avec la révolution agricole et industrielle. La courbe de l'accroissement démographique prend alors une allure exponentielle qui provoque la crainte d'une pénurie alimentaire généralisée. Au XXᵉ siècle, l'accélération se poursuit, la population mondiale quadruplant en s'élevant de 1,5 à 6 milliards. Mais le récent ralentissement du taux de croissance préfigure un début de maîtrise démographique.

Pourtant, les enjeux vitaux demeurent : nourrir les plus pauvres, améliorer le bilan sanitaire global, diffuser la contraception, ces exigences sont des impératifs pour faire progresser la qualité de vie des plus démunis, leur permettant d'accéder à la dignité humaine. La planète produit chaque année de quoi nourrir ses habitants, mais la répartition de ces richesses semble de plus en plus inégale, notamment dans les pays les moins avancés d'Afrique et d'Asie. Les pays riches, dont la population vieillit, vont-ils prendre conscience que les flux migratoires risquent de s'intensifier et que la croissance de villes démesurées conduit à la dégradation de la qualité de la vie ?

Population

La densité de population

Les 6 milliards d'hommes qui composent la population mondiale sont très inégale-
ment répartis : près de la moitié de l'humanité est concentrée dans la zone de l'Asie des
moussons, où la culture irriguée du riz a favorisé les fortes densités. Le deuxième foyer
de peuplement, l'Europe et la Méditerranée, regroupe près d'un milliard d'habitants. La

**Répartition de la population
en 1990**

Un point représente :
500 000 habitants

Agglomérations en millions d'habitants :

- 1 à 2,4 millions
- 2,5 à 4,4 millions
- 4,5 à 7,9 millions
- 8 à 14 millions
- Plus de 15 millions

**Évolution du taux de croissance
de la population mondiale depuis 1700**

Milliards d'habitants   Taux de croissance (% par an)

Échelle à l'équateur
0   2 000 km

diagonale de la sécheresse, qui court de l'océan Atlantique jusqu'à l'océan Pacifique, à travers le Sahara, la péninsule Arabique, l'Iran et l'Asie centrale, sépare les deux grands foyers de peuplement. L'Afrique, l'Amérique et l'Océanie ne connaissent que des peuplements parcellaires, surtout le long des littoraux.

CONSULTER...

Chine   France   Carte Asie
États-Unis   Inde   Les deux Asie
Europe   Ruhr

L'évolution de la population

L'anamorphose permet de cartographier les pays en considérant non plus leur surface, mais une donnée que l'on souhaite mettre en valeur. Ainsi, le poids démographique de la Chine et de l'Inde apparaît plus clairement. Le taux de croissance annuel de la population reflète la stagnation des pays les plus développés de la planète et le déclin d'une partie de l'Europe, notamment l'Allemagne. L'Asie du Sud-Est et l'Amérique latine ont

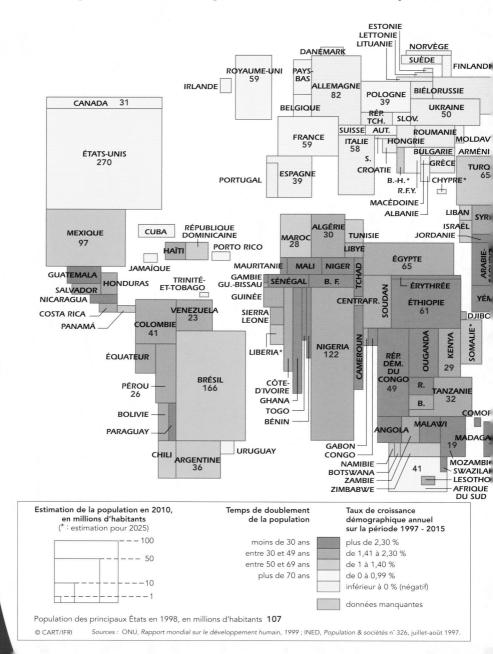

ESTONIE
LETTONIE
LITUANIE
DANEMARK
NORVÈGE
SUÈDE
FINLAND
ROYAUME-UNI 59
PAYS-BAS
ALLEMAGNE 82
IRLANDE
POLOGNE 39
BIÉLORUSSIE
BELGIQUE
UKRAINE 50
CANADA 31
RÉP. TCH.
SLOV.
SUISSE AUT.
ROUMANIE
FRANCE 59
ITALIE 58
HONGRIE
MOLDAV
ÉTATS-UNIS 270
BULGARIE ARMÉNI
S.
GRÈCE
PORTUGAL
ESPAGNE 39
CROATIE
TURQ 65
B.-H.*
CHYPRE*
R.F.Y.
MACÉDOINE
ALBANIE
LIBAN SYR
MEXIQUE 97
CUBA
RÉPUBLIQUE DOMINICAINE
ISRAËL
ALGÉRIE 30
TUNISIE
JORDANIE
MAROC 28
HAÏTI
PORTO RICO
LIBYE
JAMAÏQUE
ÉGYPTE 65
ARABIE-
GUATEMALA
HONDURAS
MAURITANIE MALI NIGER
GAMBIE GU.-BISSAU
SÉNÉGAL B. F.
TCHAD
ÉRYTHRÉE
SALVADOR
NICARAGUA
GUINÉE
SOUDAN
YÉM
COSTA RICA
PANAMÁ
VENEZUELA 23
SIERRA LEONE
CENTRAFR.
ÉTHIOPIE 61
DJIBC
COLOMBIE 41
ÉQUATEUR
LIBERIA*
NIGERIA 122
CAMEROUN
RÉP. DÉM. DU CONGO 49
OUGANDA
KENYA 29
SOMALIE*
PÉROU 26
BRÉSIL 166
CÔTE-D'IVOIRE
R.
TANZANIE 32
BOLIVIE
GHANA
TOGO
BÉNIN
B.
COMOR
PARAGUAY
ANGOLA
MALAWI
MADAGA
GABON
CONGO
19
MOZAMBI
CHILI
ARGENTINE 36
URUGUAY
NAMIBIE
BOTSWANA
ZAMBIE
ZIMBABWE
41
SWAZILA
LESOTHO
AFRIQUE DU SUD
TRINITÉ-ET-TOBAGO

Estimation de la population en 2010, en millions d'habitants
(* : estimation pour 2025)

- - - 100
- - - 50
- - - 10
- - - 1

Temps de doublement de la population

moins de 30 ans
entre 30 et 49 ans
entre 50 et 69 ans
plus de 70 ans

Taux de croissance démographique annuel sur la période 1997 - 2015

plus de 2,30 %
de 1,41 à 2,30 %
de 1 à 1,40 %
de 0 à 0,99 %
inférieur à 0 % (négatif)

données manquantes

Population des principaux États en 1998, en millions d'habitants **107**

© CART/IFRI   Sources : ONU, *Rapport mondial sur le développement humain*, 1999 ; INED, *Population & sociétés* n° 326, juillet-août 1997.

largement entamé leur « transition démographique », qui voit la mortalité et la fécondité diminuer, alors que l'Afrique et le Proche-Orient demeurent en croissance rapide.

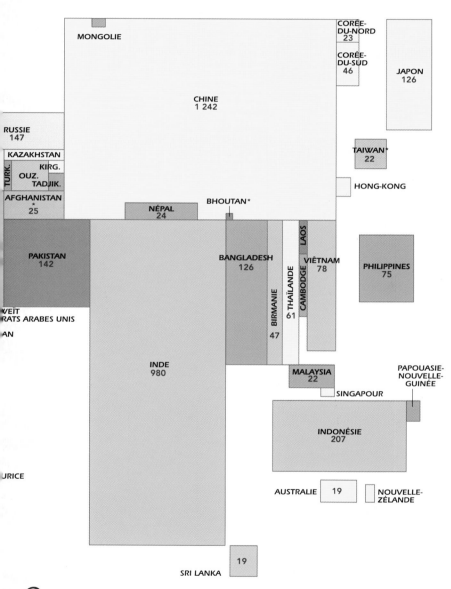

CONSULTER...

La croissance des villes

Au XXᵉ siècle, l'accroissement de la population s'est concentré dans les villes, qui ont reçu l'apport d'un exode rural massif. Au sein des 280 agglomérations qui comptent plus d'un million d'habitants, 26 mégalopoles regroupent chacune plus de 7 millions d'humains. La croissance de ces grandes agglomérations ralentit dans les pays industrialisés, en revanche, l'explosion urbaine des pays en voie de développement est à peine entamée depuis deux décennies. Les villes tentaculaires d'Asie, qui regroupe à elle seule 13 des 26 mégalopoles, et dans une moindre mesure celles d'Afrique et d'Amérique latine, posent de redoutables questions d'aménagement à des États encore largement démunis en moyens financiers et techniques.

Taux d'urbanisation :

- plus de 70 % de la population
- de 50 à 70 % de la population
- moins de 50 % de la population

Populations des plus grandes agglomérations du monde (en milliers)

- 9 844 — Estimation pour 2015
- 6 547 — Chiffre en 1995
- 1 360 — Chiffre en 1950

Échelle à l'équateur
0   2 000 km

Évolution des populations rurale et urbaine depuis 1950 (en millions)

Source : Nations unies, Division de la population.

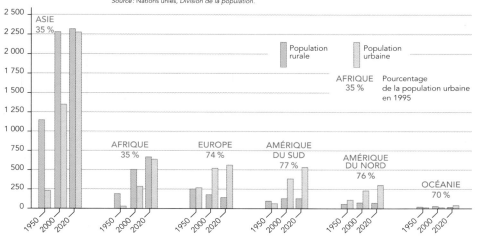

- Population rurale
- Population urbaine

AFRIQUE 35 % : Pourcentage de la population urbaine en 1995

ASIE 35 %

AFRIQUE 35 %

EUROPE 74 %

AMÉRIQUE DU SUD 77 %

AMÉRIQUE DU NORD 76 %

OCÉANIE 70 %

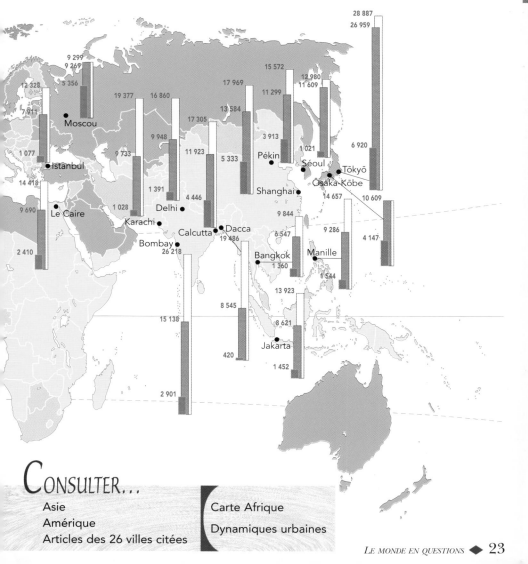

CONSULTER...

Asie
Amérique
Articles des 26 villes citées

Carte Afrique
Dynamiques urbaines

Les nomades

Dans les zones de déserts chauds (Sahara, Kalahari, péninsule Arabique, Asie centrale) ou froids (Canada, Groenland, Scandinavie, Sibérie, Asie centrale) et sur leurs marges (savanes d'Afrique subsaharienne, plateau de l'Iran, Asie mineure...), des populations nomades ont réussi à préserver un mode d'existence en régression accélérée. Moins de

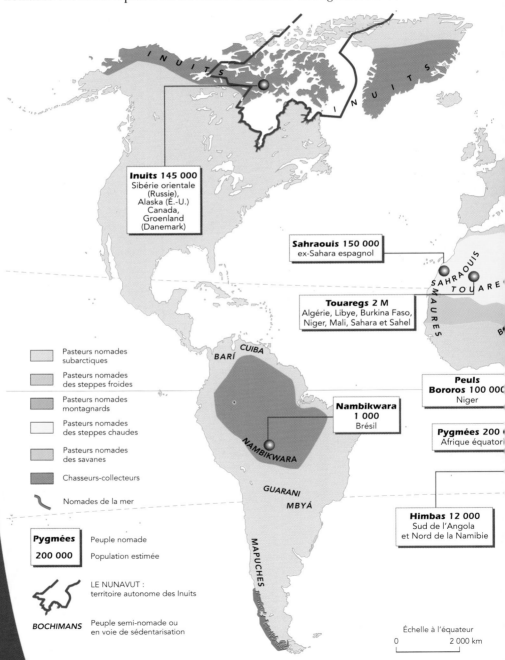

Inuits 145 000
Sibérie orientale
(Russie),
Alaska (É.-U.)
Canada,
Groenland
(Danemark)

Sahraouis 150 000
ex-Sahara espagnol

Touaregs 2 M
Algérie, Libye, Burkina Faso,
Niger, Mali, Sahara et Sahel

**Peuls
Bororos 100 000**
Niger

**Nambikwara
1 000**
Brésil

Pygmées 200 000
Afrique équator...

Himbas 12 000
Sud de l'Angola
et Nord de la Namibie

INUITS

SAHRAOUIS
MAURES
TOUARE...
B...

BARÍ CUIBA

NAMBIKWARA

GUARANI
MBYÁ

MAPUCHES

Pasteurs nomades
subarctiques

Pasteurs nomades
des steppes froides

Pasteurs nomades
montagnards

Pasteurs nomades
des steppes chaudes

Pasteurs nomades
des savanes

Chasseurs-collecteurs

Nomades de la mer

Pygmées
200 000
Peuple nomade
Population estimée

LE NUNAVUT :
territoire autonome des Inuits

BOCHIMANS
Peuple semi-nomade ou
en voie de sédentarisation

Échelle à l'équateur
0   2 000 km

10 millions d'êtres humains subsistent grâce à la pêche, à la chasse, à la cueillette ou au nomadisme pastoral. À la modernisation économique qui, avec le déclin du commerce caravanier, entraîne une diminution des ressources des nomades s'ajoute la volonté des États de les contraindre à se sédentariser, parfois même par la force.

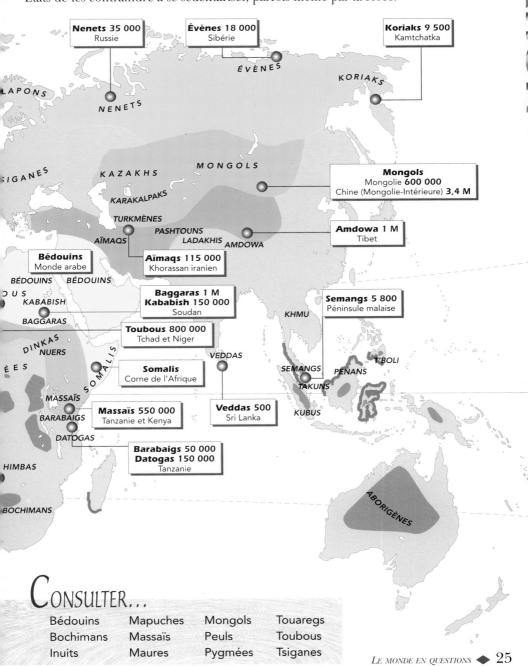

Nenets 35 000
Russie

Évènes 18 000
Sibérie

Koriaks 9 500
Kamtchatka

Mongols
Mongolie **600 000**
Chine (Mongolie-Intérieure) **3,4 M**

Amdowa 1 M
Tibet

Bédouins
Monde arabe

Aïmaqs 115 000
Khorassan iranien

Baggaras 1 M
Kababish 150 000
Soudan

Semangs 5 800
Péninsule malaise

Toubous 800 000
Tchad et Niger

Somalis
Corne de l'Afrique

Veddas 500
Sri Lanka

Massaïs 550 000
Tanzanie et Kenya

Barabaigs 50 000
Datogas 150 000
Tanzanie

LAPONS — NENETS — ÉVÈNES — KORIAKS — TSIGANES — KAZAKHS — MONGOLS — KARAKALPAKS — TURKMÈNES — AÏMAQS — PASHTOUNS — LADAKHIS — AMDOWA — BÉDOUINS — BÉDOUINS — KABABISH — BAGGARAS — DINKAS — NUERS — SOMALIS — VEDDAS — KHMU — SEMANGS — PENANS — TAKUNS — T'BOLI — KUBUS — MASSAÏS — BARABAIGS — DATOGAS — HIMBAS — BOCHIMANS — ABORIGÈNES

CONSULTER...

Les flux migratoires

La mondialisation croissante durant la deuxième moitié du XXe siècle a amplifié les migrations de population pour des motifs économiques. Les anciennes colonies des puissances européennes (Empire des Indes, Maghreb) et les rives orientales de la Méditerranée, au contact de l'Europe, le Mexique et l'Amérique centrale au voisinage des États-Unis, les Philippines, au carrefour d'influences variées, fournissent les plus forts contingents d'immigrants. Les migrations politiques, conséquence des guerres civiles ou internationales, amplifient les migrations économiques et poussent sur les routes de l'exil des millions de familles. Aux réfugiés palestiniens des années 1950 et 1960, aux boat people quittant le Viêtnam dans les années 1970, s'ajoutent les Kurdes, les Rwandais et les victimes des « épurations ethniques » dans l'ex-Yougoslavie, notamment les Musulmans bosniaques et les Albanais du Kosovo. La guerre et les persécutions incitent d'autres peuples à la fuite, dans le Caucase, au Moyen-Orient et en Afrique.

Les réfugiés

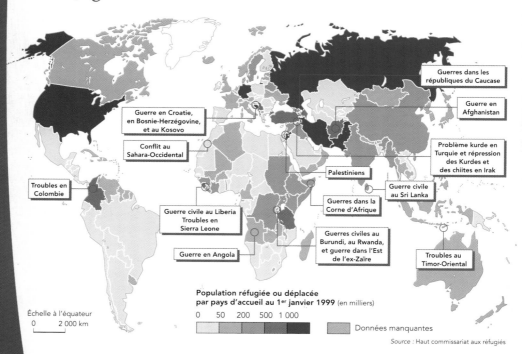

Guerres dans les républiques du Caucase

Guerre en Afghanistan

Guerre en Croatie, en Bosnie-Herzégovine, et au Kosovo

Conflit au Sahara-Occidental

Problème kurde en Turquie et répression des Kurdes et des chiites en Irak

Palestiniens

Guerre civile au Sri Lanka

Troubles en Colombie

Guerre civile au Liberia Troubles en Sierra Leone

Guerres dans la Corne d'Afrique

Guerre en Angola

Guerres civiles au Burundi, au Rwanda, et guerre dans l'Est de l'ex-Zaïre

Troubles au Timor-Oriental

Population réfugiée ou déplacée par pays d'accueil au 1er janvier 1999 (en milliers)

0   50   200 500 1 000

Données manquantes

Échelle à l'équateur
0   2 000 km

Source : Haut commissariat aux réfugiés

CONSULTER...

Allemagne	Canada	Mexique	Pologne
Arabie Saoudite	États-Unis	Pakistan	Suisse
Australie	France	Philippines	Turquie

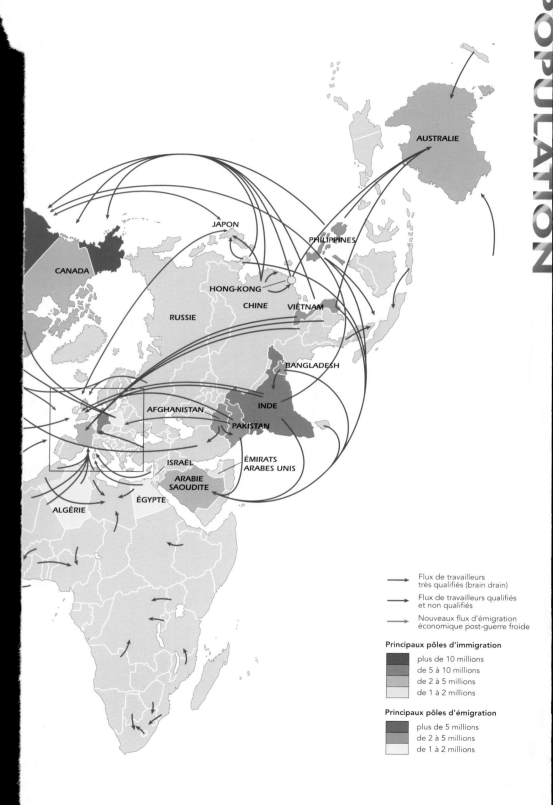

Flux de travailleurs
très qualifiés (brain drain)

Flux de travailleurs qualifiés
et non qualifiés

Nouveaux flux d'émigration
économique post-guerre froide

Principaux pôles d'immigration

plus de 10 millions
de 5 à 10 millions
de 2 à 5 millions
de 1 à 2 millions

Principaux pôles d'émigration

plus de 5 millions
de 2 à 5 millions
de 1 à 2 millions

Les migrations économiques

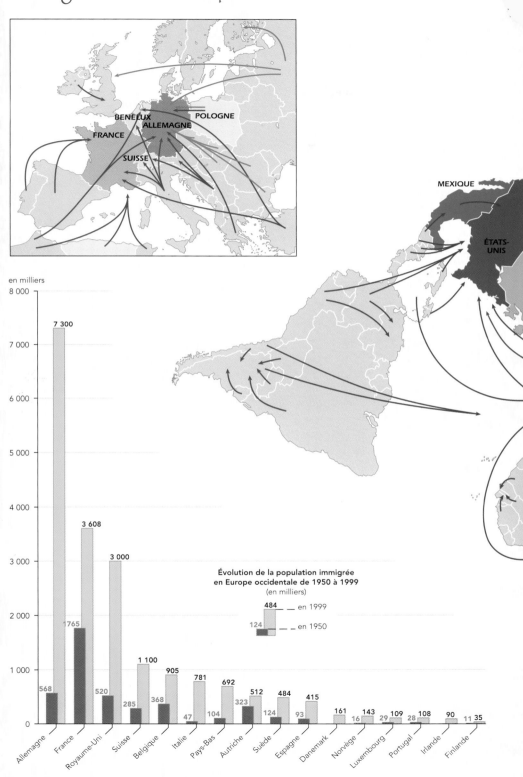

en milliers

Évolution de la population immigrée en Europe occidentale de 1950 à 1999
(en milliers)

484 — en 1999
124 — en 1950

	en milliers
Allemagne	7 300 / 568
France	3 608 / 1765
Royaume-Uni	3 000 / 520
Suisse	1 100 / 285
Belgique	905 / 368
Italie	781 / 47
Pays-Bas	692 / 104
Autriche	512 / 323
Suède	484 / 124
Espagne	415 / 93
Danemark	161
Norvège	143 / 16
Luxembourg	109 / 29
Portugal	108 / 28
Irlande	90
Finlande	35 / 11

On peut dater la mondialisation des grands voyages de découverte entrepris par les Portugais et les Espagnols à partir du XVe siècle. Durant trois cents ans, l'accroissement des échanges, accompagné de la traite des esclaves, entre l'Europe, l'Afrique et l'Amérique, favorisa le développement des pays européens. Depuis la fin de la Deuxième Guerre mondiale, le développement majeur étant le fait de l'Amérique du Nord et de l'Asie orientale, à côté de l'Europe, les échanges internationaux de biens et de services croissent plus rapidement que la production brute mondiale (PIB) : les économies des différents États, naguère cloisonnées, sont de plus en plus interdépendantes. En 2000, le PIB mondial dépasse les 30 000 milliards de dollars, tandis que les exportations de biens et de services, avec plus de 7 000 milliards de dollars, en représentent le quart.

Cette massification des transactions commerciales et financières, ainsi que les flux touristiques croissants, dessinent un monde ouvert et solidaire, renforcé par l'essor des communications, grâce à la télévision, aux télécommunications et à Internet. Toutefois, la mondialisation comporte des excès, marqués par la croissance des inégalités, par une « bulle » financière fondée sur la croissance des actifs boursiers et immobiliers dans les pays riches, et par un endettement important, aussi bien de pays riches que de pays en développement. Ces déséquilibres donnent naissance à des mouvements de contestation des institutions internationales, qui, tels le FMI ou l'OMC, ont favorisé la mondialisation.

Économie

Les flux aériens

OCÉAN
PACIFIQUE

Hawaii

Australie,
Nouvelle-Zélande

Ouest de
l'Amérique
du Nord

Los Angeles
San Francisco

Tōkyō

Japon,
Corée-du-Sud

Dallas

Chicago

Alaska

Atlanta

Canada

New York

Europe
de l'Est,
Russie

Asie du Sud-Est,
Chine

Ouest de
l'Amérique
du Sud

Est de
l'Amérique
du Nord

Londres
Paris

Francfort

Asie méridionale

Est de
l'Amérique
du Sud

Europe
de l'Ouest

Afrique du Nord

Moyen-Orient

OCÉAN
INDIEN

OCÉAN
ATLANTIQUE

Afrique
occidentale

Afrique
centrale

Afrique
orientale

Afrique
du Sud

○ Principaux nœuds
de communication aérienne

━ Principaux flux de transport aérien
(les figurés des nœuds et des flux sont
proportionnels à l'importance du trafic)

▦ Pays possédant les plus grandes
compagnies aériennes

◆ Les dix plus grands aéroports

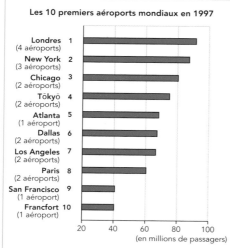

Les 10 premiers aéroports mondiaux en 1997

Londres 1 (4 aéroports)	
New York 2 (3 aéroports)	
Chicago 3 (2 aéroports)	
Tōkyō 4 (2 aéroports)	
Atlanta 5 (1 aéroport)	
Dallas 6 (2 aéroports)	
Los Angeles 7 (2 aéroports)	
Paris 8 (2 aéroports)	
San Francisco 9 (1 aéroport)	
Francfort 10 (1 aéroport)	

20   40   60   80   100
(en millions de passagers)

En 1997, 2,7 milliards de passagers ont
emprunté l'avion. Le trafic aérien se
concentre dans la zone développée de
l'Amérique du Nord, de l'Europe et de
l'Asie. Au sein de cet ensemble, le poids
du trafic intérieur des États-Unis demeure
considérable : un tiers du trafic mondial et
24 des 40 plus grands aéroports.

CONSULTER...

Atlantique   New York
États-Unis   Orly
France   Roissy-en-France

Les flux maritimes

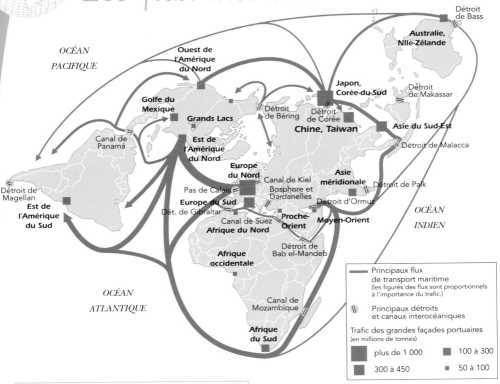

OCÉAN PACIFIQUE

OCÉAN ATLANTIQUE

OCÉAN INDIEN

- Ouest de l'Amérique du Nord
- Golfe du Mexique
- Grands Lacs
- Canal de Panamá
- Est de l'Amérique du Nord
- Détroit de Magellan
- Est de l'Amérique du Sud
- Europe du Nord
- Pas de Calais
- Europe du Sud
- Dét. de Gibraltar
- Canal de Suez
- Afrique du Nord
- Canal de Kiel
- Bosphore et Dardanelles
- Détroit de Béring
- Détroit de Corée
- Chine, Taiwan
- Japon, Corée-du-Sud
- Détroit de Makassar
- Asie du Sud-Est
- Détroit de Malacca
- Asie méridionale
- Détroit de Palk
- Détroit d'Ormuz
- Proche-Orient
- Moyen-Orient
- Détroit de Bab el-Mandeb
- Afrique occidentale
- Afrique du Sud
- Canal de Mozambique
- Australie, Nlle-Zélande
- Détroit de Bass

Légende :
— Principaux flux de transport maritime (les figurés des flux sont proportionnels à l'importance du trafic.)
\\ Principaux détroits et canaux interocéaniques

Trafic des grandes façades portuaires (en millions de tonnes) :
- plus de 1 000
- 300 à 450
- 100 à 300
- 50 à 100

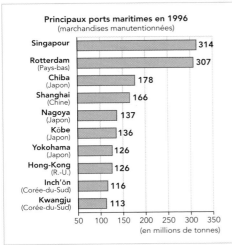

Principaux ports maritimes en 1996 (marchandises manutentionnées)

Port	Millions de tonnes
Singapour	314
Rotterdam (Pays-bas)	307
Chiba (Japon)	178
Shanghai (Chine)	166
Nagoya (Japon)	137
Kôbe (Japon)	136
Yokohama (Japon)	126
Hong-Kong (R.-U.)	126
Inch'ön (Corée-du-Sud)	116
Kwangju (Corée-du-Sud)	113

(en millions de tonnes)

Le trafic maritime atteint les 5 milliards de tonnes transportées. Dans ce total, le pétrole et ses dérivés représentent 1,9 milliard de tonnes, les autres matières premières 1,1 milliard de tonnes, tandis que les produits fabriqués, avec 2 milliards de tonnes, concentrent l'essentiel de la valeur du trafic. Treize ports seulement dépassent un trafic de 100 millions de tonnes, dont deux en Europe (Rotterdam et Anvers) et les onze autres en Asie, dont six au Japon.

CONSULTER...

Les places boursières

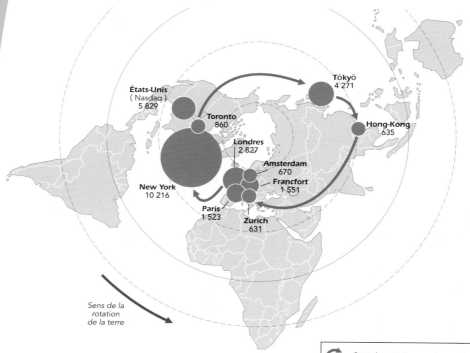

États-Unis
(Nasdaq)
5 829

Tōkyō
4 271

Toronto
860

Londres
2 827

Hong-Kong
635

Amsterdam
670

Francfort
1 551

New York
10 216

Paris
1 523

Zurich
631

*Sens de la
rotation
de la terre*

↻ Sens des cotations sur les marchés
des changes

● Les dix premières places mondiales
par la capitalisation boursière
(en milliards de dollars)

Source : *L'Expansion*, février 2000

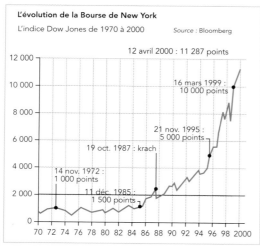

L'évolution de la Bourse de New York

L'indice Dow Jones de 1970 à 2000   *Source : Bloomberg*

12 avril 2000 : 11 287 points

16 mars 1999 :
10 000 points

21 nov. 1995 :
5 000 points

19 oct. 1987 : krach

14 nov. 1972 :
1 000 points

11 déc. 1985 :
1 500 points

70 72 74 76 78 80 82 84 86 88 90 92 94 96 98 2000

La prépondérance des places financières des trois zones très développées
traduit l'accroissement de la capitalisation boursière des grandes entreprises.
L'Amérique du Nord domine la
finance mondiale avec 51 % de la capitalisation boursière mondiale, tandis
que l'Asie ne représente que la moitié
de la zone Europe. Afin de faire face à
l'afflux des cotations et des opérations
sur les valeurs non cotées à Wall Street,
les courtiers américains ont mis en
place un système de cotation électro-
nique, le Nasdaq.

Consulter...

Francfort   Toronto
Londres   Zurich
New York

La dette

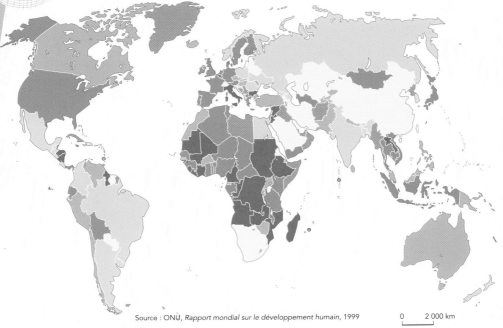

Source : ONÙ, *Rapport mondial sur le développement humain*, 1999

0   2 000 km

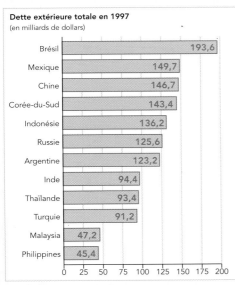

Dette extérieure totale en 1997
(en milliards de dollars)

Brésil	193,6
Mexique	149,7
Chine	146,7
Corée-du-Sud	143,4
Indonésie	136,2
Russie	125,6
Argentine	123,2
Inde	94,4
Thaïlande	93,4
Turquie	91,2
Malaysia	47,2
Philippines	45,4

Valeur de la dette en pourcentage du PNB

plus de 100	de 21,8 à 38,9
de 61,1 à 99,9	moins de 21,8
de 40 à 61	données manquantes

Le phénomène de la dette touche aussi bien pays riches que pays en développement, en réalité il ne pèse pas de même manière sur leurs économies. En effet, l'endettement des États développés est compensé par des avoirs détenus à l'extérieur de leur territoire (plus du triple de la dette pour les États-Unis), alors que le remboursement des dettes des pays en transition doit être prélevé sur les recettes des exportations. Ainsi, en 1995, le service de la dette représentait près de 40 % des recettes des exportations du Brésil, de l'Argentine ou de l'Algérie.

CONSULTER...

Algérie	Inde	Soudan
Bolivie	Jamaïque	Turquie
Chine	Mexique	

Les flux pétroliers

1973

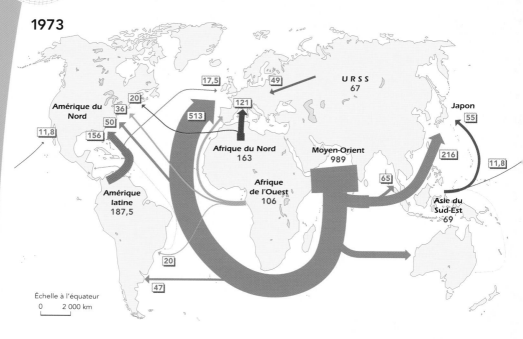

Amérique du Nord

17,5 · 49 · URSS 67 · Japon 55

20 · 121 · 216 · 11,8

36 · 513

50

11,8 · 156 · Afrique du Nord 163 · Moyen-Orient 989 · 65

Amérique latine 187,5 · Afrique de l'Ouest 106 · Asie du Sud-Est 69

20

47

Échelle à l'équateur
0   2 000 km

1984

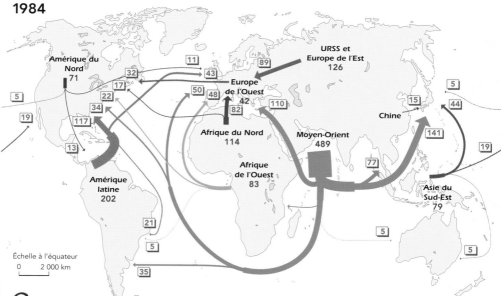

Amérique du Nord 71

11 · 89 · URSS et Europe de l'Est 126

32 · 43 · 5

5 · 17 · Europe de l'Ouest 42 · 15 · 44

19 · 22 · 50 · 48 · 110 · Chine · 141 · 19

34 · 82

117 · Afrique du Nord 114 · Moyen-Orient 489 · 77

13 · Afrique de l'Ouest 83 · Asie du Sud-Est 79

Amérique latine 202

21 · 5

5 · 5

35

Échelle à l'équateur
0   2 000 km

Consulter...

Arabie Saoudite	Koweït	Qatar
États-Unis	Mexique	Venezuela
Iran	Norvège	

Carte Russie

Caucase et Caspienne

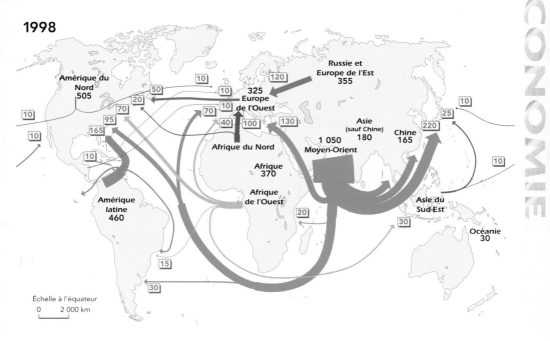

1998

Courants d'échanges :

➤ Moyen-Orient (Arabie Saoudite, Iran, Irak, Koweït, Qatar, Bahrein, Émirats arabes unis)
➤ Amérique latine (Venezuela, Mexique, Équateur, Caraïbes)
➤ Afrique de l'Ouest (Nigeria, Gabon, Cameroun, Angola)
➤ Afrique du Nord (Algérie, Libye)
➤ URSS et Europe de l'Est
➤ Asie du Sud-Est
➤ Europe de l'Ouest
➤ Chine

| 110 | Volume importé (millions de tonnes) |

202   Volume total exporté par la zone [1973-1984] (millions de tonnes)

505   Production totale de pétrole [1998] (estimations en millions de tonnes)

Le pétrole brut, avec 1,5 milliard de tonnes transportées représente le premier produit échangé dans le monde. En 1973, avant le quadruplement du prix du baril, le Moyen-Orient concentre 65 % des exportations, destinées principalement aux pays industrialisés d'Europe occidentale, au Japon et aux États-Unis. En 1984, au lendemain du deuxième choc pétrolier de 1979, les flux ont baissé d'un tiers, le Moyen-Orient ayant divisé ses exportations par deux. Le renchérissement du brut a contraint les pays développés à mettre en place des économies d'énergie, à valoriser des produits de substitution (gaz naturel, charbon, énergie nucléaire), tandis que de nouvelles zones de production (Sibérie, Alaska, mer du Nord) entraient en production. En 1998, le trafic a retrouvé de l'ampleur grâce à la baisse des prix, mais les flux intérieurs à chaque zone, de l'Alaska vers les États-Unis, de la mer du Nord et de Sibérie vers l'Europe occidentale, remplacent une partie des exportations du Moyen-Orient.

Les peuples humains se différencient par leurs langues, leurs religions et leurs cultures, qui se sont posées en rivales tout au long de l'histoire. Cette rivalité a engendré de multiples conflits, accentuant les différences et envenimant les rapports. Les grands mouvements de colonisation culturelle, ceux des Européens vers l'Afrique et l'Amérique, ceux des Arabes et de l'islam vers l'Afrique et l'Asie, ainsi que le rayonnement de la civilisation chinoise, ont graduellement constitué des blocs qui débordent les clivages nationaux.

L'histoire est aussi un incessant mélange de peuples, l'interpénétration de cultures, les échanges et les emprunts de vocabulaire entre langues. Au XXe siècle, la multiplication des échanges culturels, l'apparition d'une « planète de la communication », pour laquelle l'anglais est devenu la langue dominante, donnent naissance à une civilisation mondialisée. Toutefois, les racines identitaires maintiennent des traditions linguistiques, religieuses et culturelles qui se traduisent par la richesse et la diversité préservées, mais aussi par des conflits et de la violence, par exemple en Algérie, au Soudan, au Timor ou au Sri Lanka, par la révolte de peuples opprimés tels les Indiens en Amérique latine, ou par les difficultés de la Russie à pacifier ses marges caucasiennes. Dans les pays riches, les résistances se manifestent par les « exceptions » culturelles, par des habitudes et des goûts spécifiques, et par la naissance de mouvements de citoyens contre la mondialisation.

Aspects
culturels

Les langues principales

Les diverses colonisations, arabe, anglaise, française, espagnole et portugaise ont exercé une très forte influence unificatrice tandis que certains peuples conservaient leur idiome propre. Au XXe siècle, le phénomène majeur reste l'expansion de l'anglais, appuyé sur la puissance économique et culturelle britannique et américaine, ainsi que sur les capacités de synthèse et d'évolution de cette langue.

anglais

espagnol

portugais

franç

anglais

Échelle à l'équateur

0   2 000 km

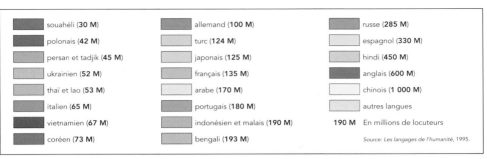

souahéli **(30 M)**	allemand **(100 M)**	russe **(285 M)**
polonais **(42 M)**	turc **(124 M)**	espagnol **(330 M)**
persan et tadjik **(45 M)**	japonais **(125 M)**	hindi **(450 M)**
ukrainien **(52 M)**	français **(135 M)**	anglais **(600 M)**
thaï et lao **(53 M)**	arabe **(170 M)**	chinois **(1 000 M)**
italien **(65 M)**	portugais **(180 M)**	autres langues
vietnamien **(67 M)**	indonésien et malais **(190 M)**	**190 M** En millions de locuteurs
coréen **(73 M)**	bengali **(193 M)**	Source: *Les langages de l'humanité*, 1995.

CONSULTER...

Arabes   Malais
Berbères
Iran

La langue française dans le monde

Le français, langue latine centrée sur le bassin francophone original, la France, une partie de la Belgique, du Luxembourg, de la Suisse et le Val d'Aoste, a conquis le statut de langue internationale grâce au rayonnement de la culture et de la diplomatie françaises. Les différentes strates de l'expansion coloniale apparaissent sur la carte : la Louisiane, le Canada, les comptoirs de l'Inde, les Antilles, l'Afrique, l'Indochine conservent un nombre

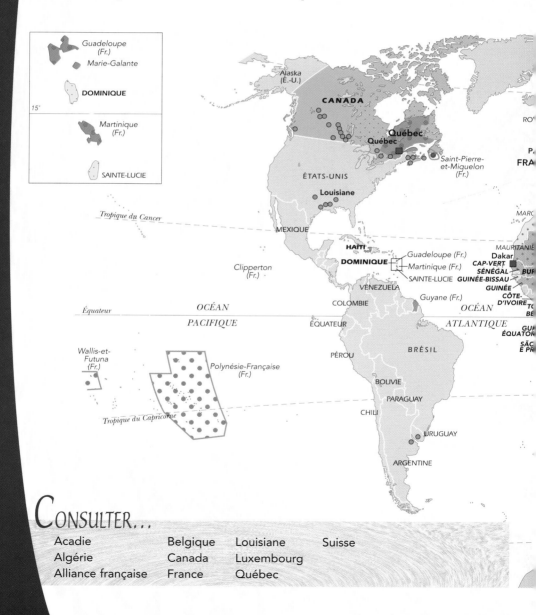

CONSULTER...

important de locuteurs francophones. Le Québec et Haïti constituent deux cas spécifiques, où la langue française autochtone a évolué de façon autonome par rapport au
français parlé en métropole ou en Europe. Le rayonnement culturel de la francophonie
continue à se manifester notamment au travers des lycées francophones et du réseau de
l'Alliance française, présente dans 137 pays.

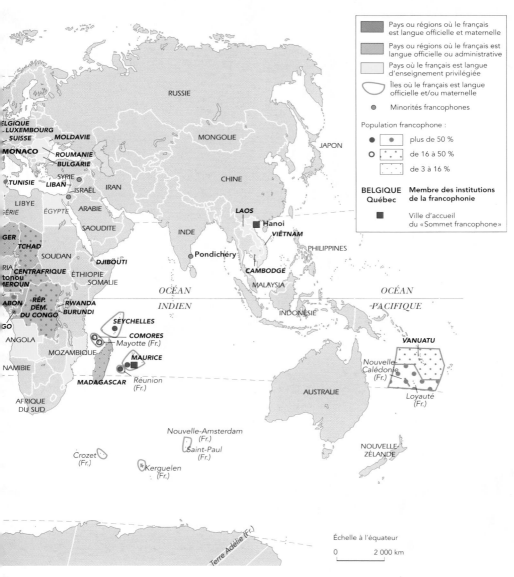

Édition et communication

Le livre

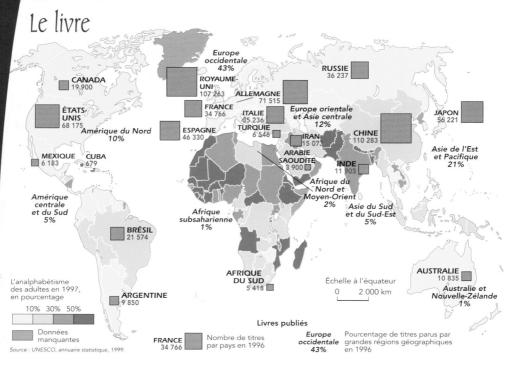

Europe
occidentale
43%

RUSSIE
36 237

CANADA
19 900

ROYAUME-
UNI
107 263

ALLEMAGNE
71 515

ÉTATS-
UNIS
68 175

FRANCE
34 766

Europe orientale
et Asie centrale
12%

JAPON
56 221

Amérique du Nord
10%

ITALIE
45 236

ESPAGNE
46 330

TURQUIE
6 546

CHINE
110 283

Asie de l'Est
et Pacifique
21%

MEXIQUE
6 183

CUBA
679

IRAN
15 073

ARABIE
SAOUDITE
3 900

INDE
11 903

Amérique
centrale
et du Sud
5%

Afrique
subsaharienne
1%

Afrique du
Nord et
Moyen-Orient
2%

Asie du Sud
et du Sud-Est
5%

BRÉSIL
21 574

AUSTRALIE
10 835

AFRIQUE
DU SUD
5 418

Échelle à l'équateur

0   2 000 km

Australie et
Nouvelle-Zélande
1%

ARGENTINE
9 850

L'analphabétisme
des adultes en 1997,
en pourcentage

10% 30% 50%

Données
manquantes

Source : UNESCO, annuaire statistique, 1999.

Livres publiés

FRANCE
34 766

Nombre de titres
par pays en 1996

*Europe
occidentale
43%*

Pourcentage de titres parus par
grandes régions géographiques
en 1996

La télévision

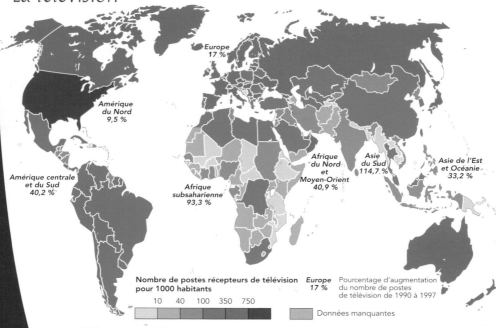

Europe
17 %

Amérique
du Nord
9,5 %

Amérique centrale
et du Sud
40,2 %

Afrique
subsaharienne
93,3 %

Afrique
du Nord
et
Moyen-Orient
40,9 %

Asie
du Sud
114,7 %

Asie de l'Est
et Océanie
33,2 %

**Nombre de postes récepteurs de télévision
pour 1000 habitants**

10   40   100   350   750

*Europe
17 %*

Pourcentage d'augmentation
du nombre de postes
de télévision de 1990 à 1997

Données manquantes

Source : UNESCO, Annuaire statistique, 1999

Le planisphère de la communication reflète le clivage entre pays développés et pays en voie de développement : les taux d'alphabétisation, les chiffres de l'édition, l'usage des récepteurs de télévision et du téléphone ou la diffusion d'Internet correspondent globalement aux divisions entre riches et pauvres. Ainsi en 1999, sur les 720 millions d'Africains, à peine un million, dont 80 % en Afrique du Sud, sont connectés à Internet contre 71 millions en Amérique du Nord (sur une population globale de 370 millions d'habitants). Toutefois, les efforts de certains États dans le domaine de l'alphabétisation (Cuba, Chine, Indonésie) et la vigueur de la croissance asiatique modifient les répartitions traditionnelles, l'Extrême-Orient passant directement à l'ère du téléphone cellulaire et d'Internet. L'anglais, langue privilégiée de la mondialisation, marque sa puissance dans le secteur de l'édition, des médias et dans l'expansion des technologies nouvelles.

Internet et téléphonie

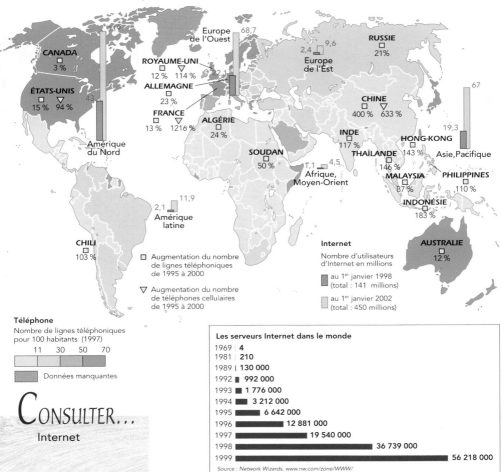

CANADA 3 %
ÉTATS-UNIS 15 % ▽ 94 %
43
Amérique du Nord
Europe de l'Ouest 68,7
ROYAUME-UNI 12 % 114 %
ALLEMAGNE 23 %
FRANCE 13 % ▽ 1216 %
ALGÉRIE 24 %
SOUDAN 50 %
Europe de l'Est 2,4 ▢ 9,6
RUSSIE 21 %
CHINE 400 % ▽ 633 %
INDE 117 %
THAÏLANDE 146 %
HONG-KONG 143 %
Asie, Pacifique 19,3 / 67
T,1 ▢ 4,5 Afrique, Moyen-Orient
MALAYSIA 87 %
PHILIPPINES 110 %
INDONÉSIE 183 %
Amérique latine 2,1 / 11,9
CHILI 103 %
AUSTRALIE 12 %

▢ Augmentation du nombre de lignes téléphoniques de 1995 à 2000

▽ Augmentation du nombre de téléphones cellulaires de 1995 à 2000

Internet
Nombre d'utilisateurs d'Internet en millions
■ au 1er janvier 1998 (total : 141 millions)
□ au 1er janvier 2002 (total : 450 millions)

Téléphone
Nombre de lignes téléphoniques pour 100 habitants (1997)
11 30 50 70
Données manquantes

Consulter...
Internet

Les serveurs Internet dans le monde

Année	Nombre
1969	4
1981	210
1989	130 000
1992	992 000
1993	1 776 000
1994	3 212 000
1995	6 642 000
1996	12 881 000
1997	19 540 000
1998	36 739 000
1999	56 218 000

Source : Network Wizards, www.nw.com/zone/WWW/

Les principales religions

Les confessions se réclamant de l'islam et du christianisme regroupent plus de la moitié de l'humanité. Le christianisme domine en Amérique, en Europe, au sud de l'Afrique et en Océanie. L'islam, qui l'emporte au Moyen-Orient, en Insulinde et dans le nord de l'Afrique, s'étend en Afrique équatoriale. L'Asie des moussons (sauf le Bangladesh et l'Indonésie) maintient ses cultes traditionnels (hindouisme, bouddhisme, confucianisme, shintoïsme).

protestants

sunnites

catholiques

Principales communautés

- ■ bouddhiste
- ■ catholique
- ■ hindoue
- ■ juive
- ■ protestante
- ■ musulmane
- ■ sikh

⊂⊃➤ Prosélytisme islamique

Échelle à l'équateur

0   2 000 km

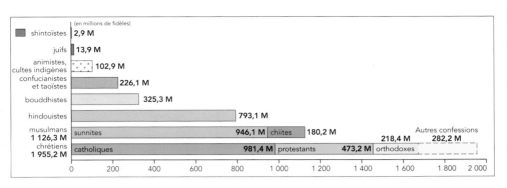

(en millions de fidèles)

shintoïstes	2,9 M
juifs	13,9 M
animistes, cultes indigènes	102,9 M
confucianistes et taoïstes	226,1 M
bouddhistes	325,3 M
hindouistes	793,1 M
musulmans 1 126,3 M	sunnites 946,1 M chiites 180,2 M
chrétiens 1 955,2 M	catholiques 981,4 M protestants 473,2 M orthodoxes 218,4 M
	Autres confessions 282,2 M

0 200 400 600 800 1 000 1 200 1 400 1 600 1 800 2 000

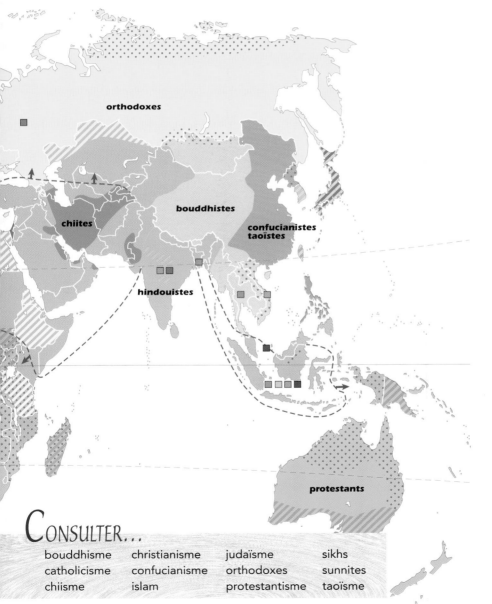

orthodoxes

bouddhistes

confucianistes taoïstes

chiites

hindouistes

protestants

CONSULTER...

bouddhisme	christianisme	judaïsme	sikhs
catholicisme	confucianisme	orthodoxes	sunnites
chiisme	islam	protestantisme	taoïsme

Religions et politique

Religions officielles

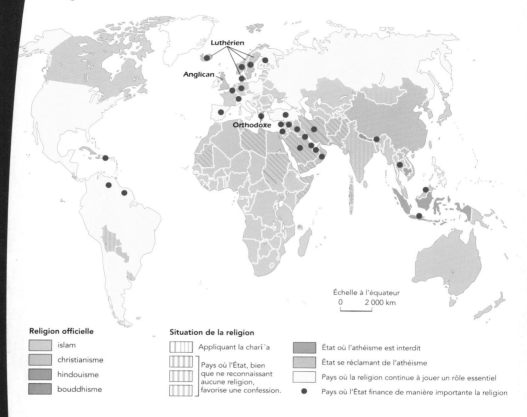

Luthérien

Anglican

Orthodoxe

Échelle à l'équateur

0   2 000 km

Religion officielle

- islam
- christianisme
- hindouisme
- bouddhisme

Situation de la religion

- Appliquant la charī`a
- Pays où l'État, bien que ne reconnaissant aucune religion, favorise une confession.
- État où l'athéisme est interdit
- État se réclamant de l'athéisme
- Pays où la religion continue à jouer un rôle essentiel
- ● Pays où l'État finance de manière importante la religion

La religion est un des principaux facteurs de cohésion et d'individualisation des nations et des États. L'État-nation européen (une religion, une langue, un territoire) demeure au XXᵉ siècle le modèle de formation des États issus de la décolonisation. Cependant, les traditions religieuses pèsent sur les États modernes, qui doivent composer avec la confession majoritaire et parfois avec les croyances des minorités. Les diverses modalités constitutionnelles partagent les États théocratiques, ceux qui établissent une religion officielle et ceux qui ont séparé la religion de la politique.

Au plan politique, les partis se réclamant de la Démocratie chrétienne restent dominants en Amérique latine et en Europe, tandis que les partis islamistes ont accru leur prépondérance dans l'aire arabo-musulmane. Les zones de contacts entre religions (Balkans, Caucase, Proche-Orient, Afrique tropicale, Asie du Sud) sont les régions où les guerres civiles prennent aussi des accents religieux, qui recoupent des caractéristiques ethniques ou linguistiques. Ces conflits à composante religieuse sont particulièrement vifs dans la zone d'expansion de l'islam.

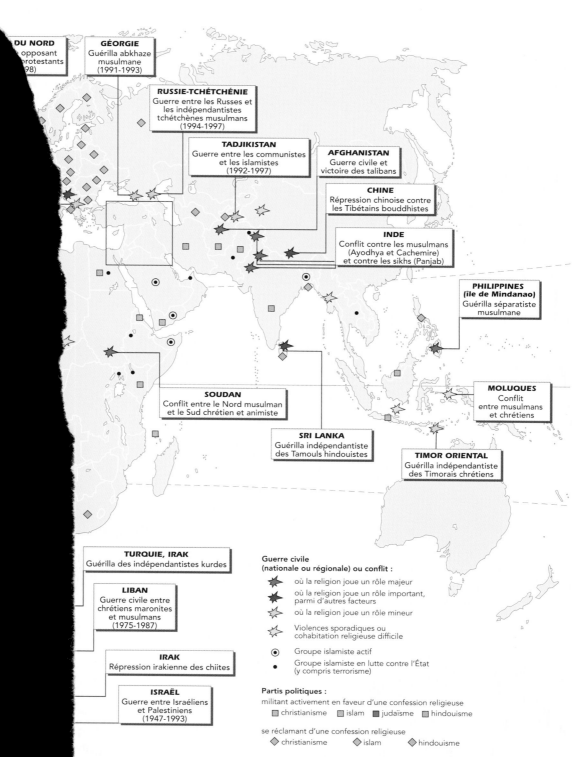

DU NORD
opposant
rotestants
98)

GÉORGIE
Guérilla abkhaze
musulmane
(1991-1993)

RUSSIE-TCHÉTCHÉNIE
Guerre entre les Russes et
les indépendantistes
tchétchènes musulmans
(1994-1997)

TADJIKISTAN
Guerre entre les communistes
et les islamistes
(1992-1997)

AFGHANISTAN
Guerre civile et
victoire des talibans

CHINE
Répression chinoise contre
les Tibétains bouddhistes

INDE
Conflit contre les musulmans
(Ayodhya et Cachemire)
et contre les sikhs (Panjab)

PHILIPPINES
(île de Mindanao)
Guérilla séparatiste
musulmane

MOLUQUES
Conflit
entre musulmans
et chrétiens

SOUDAN
Conflit entre le Nord musulman
et le Sud chrétien et animiste

SRI LANKA
Guérilla indépendantiste
des Tamouls hindouistes

TIMOR ORIENTAL
Guérilla indépendantiste
des Timorais chrétiens

TURQUIE, IRAK
Guérilla des indépendantistes kurdes

LIBAN
Guerre civile entre
chrétiens maronites
et musulmans
(1975-1987)

IRAK
Répression irakienne des chiites

ISRAËL
Guerre entre Israéliens
et Palestiniens
(1947-1993)

Guerre civile
(nationale ou régionale) ou conflit :

où la religion joue un rôle majeur

où la religion joue un rôle important,
parmi d'autres facteurs

où la religion joue un rôle mineur

Violences sporadiques ou
cohabitation religieuse difficile

◉ Groupe islamiste actif

● Groupe islamiste en lutte contre l'État
(y compris terrorisme)

Partis politiques :

militant activement en faveur d'une confession religieuse
☐ christianisme ☐ islam ☐ judaïsme ☐ hindouisme

se réclamant d'une confession religieuse
◇ christianisme ◇ islam ◇ hindouisme

Les conflits religieux

IRLANDE
Guerre civile[...]
catholiques et p[...]
(1969-19[...])

EX-YOUGOSLAVIE
Guerre civile opposant
Serbes (orthodoxes),
Croates (catholiques) et
musulmans (1992-1995)

YOUGOSLAVIE
Nettoyage ethnique des Kosovars
d'origine albanaise (musulmans)

ALGÉRIE
Guerre civile opposant
l'État aux groupes islamistes

SIERRA LEONE, LIBERIA
Guerre civile opposant notamment
des factions de religions différentes
(musulmans, chrétiens)

ARMÉNIE, AZERBAÏDJAN
Guerre entre les Arméniens (chrétiens)
et les Azéris (musulmans)
(1988-1994)

Échelle à l'équateur
0   2 000 km

CONSULTER...

Afghanistan	Démocratie chrétienne	Liban
Algérie	Inde	sikhs
Cachemire	Irlande du Nord	Tibet

e XIXᵉ siècle, siècle des nationalismes, s'est achevé sur l'expansion coloniale européenne et a engendré la Première Guerre mondiale. Le XXᵉ siècle fut celui de deux guerres modernes et industrielles, qui ravagèrent l'Europe, une partie de l'Asie, de l'Afrique et du Moyen-Orient, puis il s'affirma comme le siècle du totalitarisme et des massacres de masse. Les deux puissances nucléaires - États-Unis et URSS - ont alors bâti une double hégémonie, et, durant quarante ans, enjeux et conflits étaient décryptés à travers le prisme de la « guerre froide ».

Apparue en 1945, la volonté d'organiser le monde de façon à éviter de nouveaux conflits a fait naître l'ONU et les institutions internationales qui lui sont liées, avec un consensus international apparent sur le respect des droits de l'homme. Des organisations régionales, relais des institutions internationales ou démarche autonome d'un groupe d'États, ont proliféré lorsque les tensions de la guerre froide se sont dissipées.

L'éclatement du bloc soviétique a encouragé la renaissance de nationalismes jusqu'alors contenus par l'affrontement des blocs. De nouveaux périls sont apparus : le terrorisme de masse qui tourne parfois au génocide, les risques de la dissémination nucléaire, les litiges frontaliers multiples, tandis que tous les peuples réclament leur reconnaissance par la communauté internationale. Cependant, la communauté des États démocratiques trouve assez facilement un consensus sur les questions les plus importantes.

Grands enjeux

Les grandes puissances coloniales

Alaska
(É.-U.)

Groenland
(Dan.)

CANADA

ROYAUME-UNI

P.-B

BELGIQUE

FRANCE

Terre-Neuve

St-Pierre-
et-Miquelon

ÉTATS-UNIS

Bermudes

ESPAGNE

PORTUGAL

Açores

Gibraltar
Ceuta

Melilla

Madère

Hawaii

Canaries

CUBA

Bahamas

RIO DE ORO

MEXIQUE

Porto-Rico

HONDURAS-
BRITANNIQUE

JAMAÏQUE

Guadeloupe

Cap-Vert

AFRIQUE-OCC.
FRANÇAISE

Martinique

GAMBIE
GUINÉE
PORT.

NIG

PANAMÁ
zone du canal
(É.-U.)

VENEZUELA

GUYANE BRIT.
GUYANE HOLL.
GUYANE FRANÇ.

SIERRA
LEONE

COLOMBIE

CÔTE-DE-L'OR

TOGO

ÉQUATEUR

PÉROU

BRÉSIL

Ascension

BOLIVIE

Ste-Hélène

S

PARAGUAY

W.

CHILI

URUGUAY

ARGENTINE

Malouines

Puissances coloniales

- Allemagne
- Belgique
- Espagne
- États-Unis
- France
- Italie
- Japon
- Pays-Bas
- Portugal
- Royaume-Uni
- Empire russe
- ◆ Dominion

Échelle à l'équateur

0   2 000 km

Les conséquences de la colonisation ont pesé sur le XXᵉ siècle et retentiront encore au XXIᵉ siècle. La décolonisation a permis la formation des États modernes, mais les anciennes métropoles coloniales ont pérennisé leur influence grâce à des relations privilégiées avec leurs anciennes colonies (zone franc en Afrique, accueil d'étudiants). Toutefois, le recul des empires a souvent laissé place à des nations composites, notamment en Afrique, au Moyen-Orient et sur les marges de la Russie, qui sont en butte à des litiges frontaliers et à des conflits internes ou régionaux.

CONSULTER...

Afrique	Asie	Russie
A-ÉF	France	
A-OF	Grande-Bretagne	

La guerre froide

Au sens strict du terme, la guerre foide est la période de paix armée qui, de 1947 à 1956, voit s'affronter deux blocs d'États regroupés l'un sous la protection des États-Unis, l'autre sous la tutelle soviétique. Au sens large, cette guerre commence dès la victoire des Alliés sur les nazis et se prolonge jusqu'à la fin du système communiste en 1989. Les

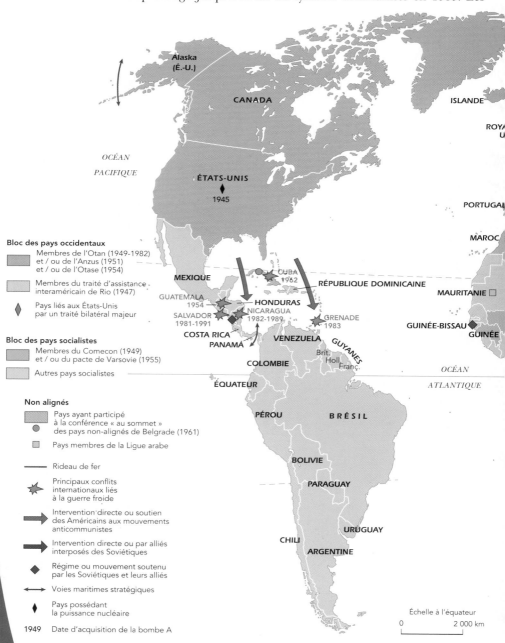

Bloc des pays occidentaux

Membres de l'Otan (1949-1982)
et / ou de l'Anzus (1951)
et / ou de l'Otase (1954)

Membres du traité d'assistance
interaméricain de Rio (1947)

Pays liés aux États-Unis
par un traité bilatéral majeur

Bloc des pays socialistes

Membres du Comecon (1949)
et / ou du pacte de Varsovie (1955)

Autres pays socialistes

Non alignés

Pays ayant participé
à la conférence « au sommet »
des pays non-alignés de Belgrade (1961)

Pays membres de la Ligue arabe

Rideau de fer

Principaux conflits
internationaux liés
à la guerre froide

Intervention directe ou soutien
des Américains aux mouvements
anticommunistes

Intervention directe ou par alliés
interposés des Soviétiques

Régime ou mouvement soutenu
par les Soviétiques et leurs alliés

Voies maritimes stratégiques

Pays possédant
la puissance nucléaire

1949   Date d'acquisition de la bombe A

conflits de cette période, généralement localisés sur les marges d'un des deux empires, manquent à plusieurs reprises de dégénérer en guerre nucléaire mondiale. Toutefois, la menace nucléaire contraint les adversaires à maintenir une coexistence pacifique. Le désarmement nucléaire devient réalité avec l'effondrement de l'URSS.

CONSULTER...

Le monde actuel

À partir de 1990, la disparition de la tutelle soviétique favorise le règlement de conflits anciens : réunifications de l'Allemagne et du Yémen, pacification de la péninsule indo-chinoise ou négociation entre Israël et les pays arabes. Mais l'éclatement de l'URSS et de la Yougoslavie contribue aussi à l'émergence de nouvelles guerres dans le Caucase et dans

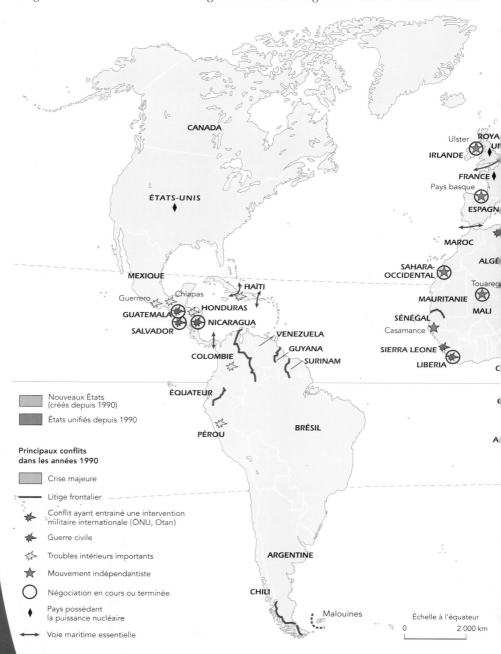

CANADA

Ulster
ROYA
UI
IRLANDE
FRANCE
Pays basque
ESPAGN

ÉTATS-UNIS

MAROC
ALGÉ

SAHARA-
OCCIDENTAL
Touareg

MEXIQUE

HAÏTI
Guerrero   Chiapas
GUATEMALA   HONDURAS
SALVADOR   NICARAGUA

MAURITANIE
MALI

SÉNÉGAL
Casamance

VENEZUELA
GUYANA
COLOMBIE   SURINAM

SIERRA LEONE
LIBERIA

ÉQUATEUR

BRÉSIL

PÉROU

ARGENTINE

CHILI
Malouines

Nouveaux États
(créés depuis 1990)

États unifiés depuis 1990

**Principaux conflits
dans les années 1990**

Crise majeure

Litige frontalier

Conflit ayant entraîné une intervention
militaire internationale (ONU, Otan)

Guerre civile

Troubles intérieurs importants

Mouvement indépendantiste

Négociation en cours ou terminée

Pays possédant
la puissance nucléaire

Voie maritime essentielle

Échelle à l'équateur
0   2 000 km

les Balkans. En dépit de la formation de grandes associations régionales (Union euro-péenne, Alena, Mercosur, Ansea, etc.), des conflits menacent la stabilité géopolitique de la planète. L'absence de contrepoids à la puissance des États-Unis leur confère le rôle de gendarme du monde, par l'intermédiaire de l'ONU ou de l'Otan.

CONSULTER...

Allemagne

Articles concernant les conflits mentionnés

Carte Amérique

Les États-Unis, présence militaire et économique

Inégalités hommes femmes

La comparaison systématique des niveaux de développement par pays s'effectue grâce à des indices élaborés au début des années 1990. Les inégalités entre hommes et femmes commencent à être prises en compte, essentiellement à travers trois critères.

Accès à la culture – et à une possibilité de liberté économique et politique : le taux d'alphabétisation des femmes est le plus souvent inférieur, parfois très inférieur à celui des hommes.

Reconnaissance effective de l'existence économique et politique des femmes : leur participation à l'économie est en moyenne inférieure de 30 % à celle des hommes ; cette inégalité économique se constate même dans les pays développés, où les taux d'alphabétisation des deux sexes sont pourtant similaires. Enfin, le nombre de femmes élues dans les parlements nationaux est toujours minoritaire.

Droit à la vie et à la contraception. De nombreux pays, sous toutes les latitudes, n'ont pas de politique de contraception généralisée. Plus de trente pays, dispersés sur trois continents, connaissent une sous-natalité féminine et/ou une surmortalité des filles avant cinq ans. D'autres enfin, situés en Afrique subtropicale, tolèrent encore les mutilations sexuelles.

Alphabétisation différentielle

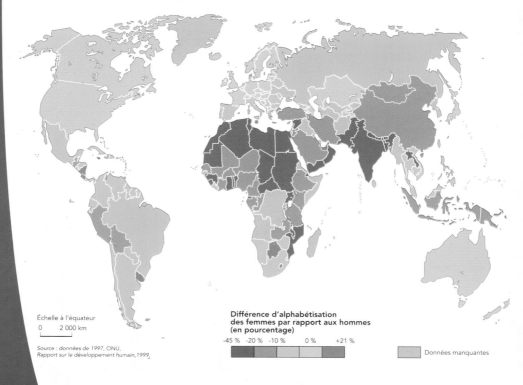

Échelle à l'équateur
0   2 000 km

Source : données de 1997, ONU,
Rapport sur le développement humain, 1999.

Différence d'alphabétisation
des femmes par rapport aux hommes
(en pourcentage)

-45 %   -20 %   -10 %   0 %   +21 %

Données manquantes

Inégalités économiques et politiques

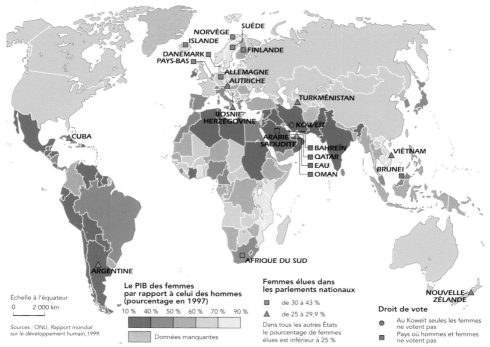

Échelle à l'équateur
0   2 000 km

Sources : ONU, *Rapport mondial
sur le développement humain,* 1999.

**Le PIB des femmes
par rapport à celui des hommes
(pourcentage en 1997)**
10 % 40 % 50 % 60 % 70 % 90 %

Données manquantes

**Femmes élues dans
les parlements nationaux**
▪ de 30 à 43 %
▲ de 25 à 29,9 %
Dans tous les autres États
le pourcentage de femmes
élues est inférieur à 25 %

Droit de vote
● Au Koweït seules les femmes
ne votent pas
▪ Pays où hommes et femmes
ne votent pas

Contraintes familiales et violences sexuelles

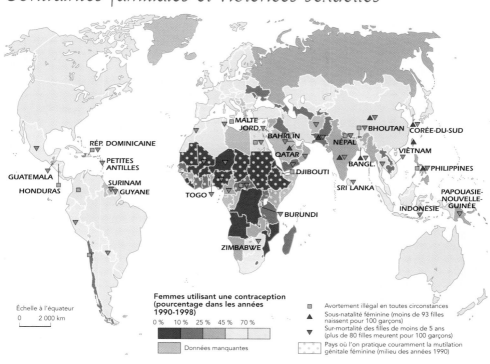

Échelle à l'équateur
0   2 000 km

**Femmes utilisant une contraception
(pourcentage dans les années
1990-1998)**
0 % 10 % 25 % 45 % 70 %

Données manquantes

▪ Avortement illégal en toutes circonstances
▲ Sous-natalité féminine (moins de 93 filles
naissent pour 100 garçons)
▼ Sur-mortalité des filles de moins de 5 ans
(plus de 80 filles meurent pour 100 garçons)
Pays où l'on pratique couramment la mutilation
génitale féminine (milieu des années 1990)

Les grands fléaux

La pauvreté

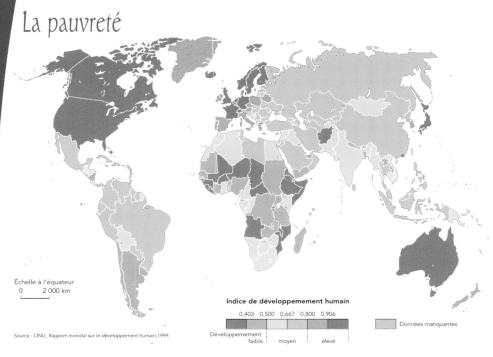

Échelle à l'équateur
0   2 000 km

Indice de développemement humain

0,403   0,500   0,667   0,800   0,906

Développemement
faible   moyen   élevé

Données manquantes

Source : ONU, *Rapport mondial sur le développement humain,*1999.

La drogue

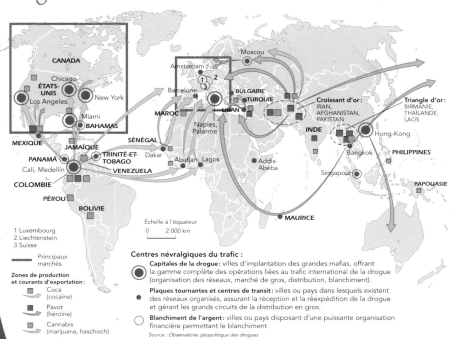

CANADA

Moscou

Amsterdam

Chicago
ÉTATS-
UNIS
Los Angeles   New York

Barcelone

1
3   2

BULGARIE
TURQUIE

Croissant d'or :
IRAN,
AFGHANISTAN,
PAKISTAN

Triangle d'or :
BIRMANIE,
THAÏLANDE,
LAOS

MAROC

LIBAN

Miami
BAHAMAS

Naples,
Palerme

INDE

Hong-Kong

MEXIQUE

SÉNÉGAL

Bangkok

PHILIPPINES

JAMAÏQUE

PANAMÁ   TRINITÉ-ET-
TOBAGO   Dakar

Abidjan   Lagos

Addis-
Abeba

Singapour

PAPOUASIE

Cali, Medellín   VENEZUELA

COLOMBIE

PÉROU

BOLIVIE

MAURICE

Échelle à l'équateur
0   2 000 km

1 Luxembourg
2 Liechtenstein
3 Suisse

Principaux
marchés

**Zones de production
et courants d'exportation :**

Coca
(cocaïne)

Pavot
(héroïne)

Cannabis
(marijuana, haschisch)

Centres névralgiques du trafic :

Capitales de la drogue : villes d'implantation des grandes mafias, offrant
la gamme complète des opérations liées au trafic international de la drogue
(organisation des réseaux, marché de gros, distribution, blanchiment).

Plaques tournantes et centres de transit : villes ou pays dans lesquels existent
des réseaux organisés, assurant la réception et la réexpédition de la drogue
et gérant les grands circuits de la distribution en gros.

Blanchiment de l'argent : villes ou pays disposant d'une puissante organisation
financière permettant le blanchiment.

Source : *Observatoire géopolitique des drogues*

Le sida

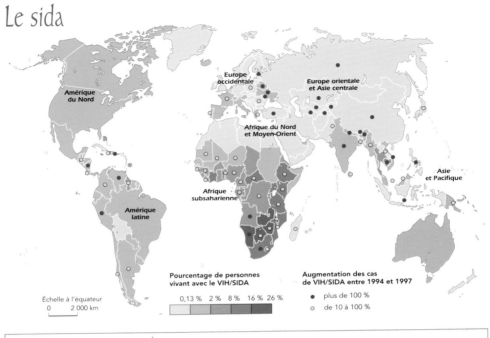

Pourcentage de personnes vivant avec le VIH/SIDA

0,13 % 2 % 8 % 16 % 26 %

Échelle à l'équateur
0   2 000 km

Augmentation des cas de VIH/SIDA entre 1994 et 1997

● plus de 100 %
○ de 10 à 100 %

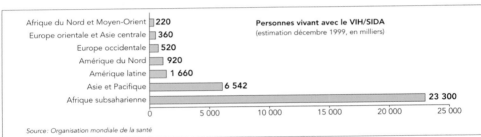

Personnes vivant avec le VIH/SIDA
(estimation décembre 1999, en milliers)

Afrique du Nord et Moyen-Orient	220
Europe orientale et Asie centrale	360
Europe occidentale	520
Amérique du Nord	920
Amérique latine	1 660
Asie et Pacifique	6 542
Afrique subsaharienne	23 300

Source : Organisation mondiale de la santé

Pauvreté, drogue et sida constituent trois des grands fléaux de la planète. L'indicateur de développement humain (IDH) est un indice, construit par les organisations de l'ONU, qui regroupe l'espérance de vie, le taux d'alphabétisation, le taux de scolarisation et le PIB par habitant. L'Afrique subsaharienne et l'Asie du Sud restent les principales zones de pauvreté. Les flux de drogue reflètent eux la partition entre zone de consommation (Amérique du Nord, Europe occidentale) et zone de production (régions tropicales), le commerce conduit à la prolifération de mafias. Quant au sida, près de 30 millions de personnes en sont atteints. Si la situation se stabilise en Amérique du Nord et en Europe occidentale, l'Afrique subsaharienne est la région la plus affectée, tandis que l'Europe orientale et l'Asie connaissent une transmission rapide de l'épidémie.

CONSULTER...

Les grands ensembles régionaux

SECONDE PARTIE

Afrique

L'Afrique dans le monde

Continent le plus pauvre de la planète, l'Afrique pèse peu dans les relations économiques internationales et sa part diminue en valeur. L'Afrique exporte principalement des matières premières énergétiques (pétrole, gaz naturel, charbon), minières (fer, cuivre, or, etc.) et agricoles (coton, café, cacao, fruits tropicaux) et importe surtout des

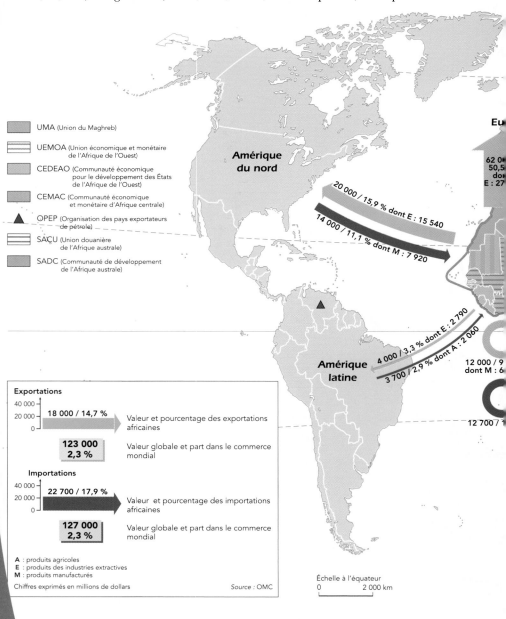

UMA (Union du Maghreb)

UEMOA (Union économique et monétaire de l'Afrique de l'Ouest)

CEDEAO (Communauté économique pour le développement des États de l'Afrique de l'Ouest)

CEMAC (Communauté économique et monétaire d'Afrique centrale)

OPEP (Organisation des pays exportateurs de pétrole)

SACU (Union douanière de l'Afrique australe)

SADC (Communauté de développement de l'Afrique australe)

Amérique du nord

Amérique latine

20 000 / 15,9 % dont E : 15 540

14 000 / 11,1 % dont M : 7 920

4 000 / 3,3 % dont E : 2 790

3 700 / 2,9 % dont A : 2 060

Eu

62 0
50,5
do
E : 27

12 000 / 9
dont M : 6

12 700 / 1

Exportations

18 000 / 14,7 % — Valeur et pourcentage des exportations africaines

123 000
2,3 % — Valeur globale et part dans le commerce mondial

Importations

22 700 / 17,9 % — Valeur et pourcentage des importations africaines

127 000
2,3 % — Valeur globale et part dans le commerce mondial

A : produits agricoles
E : produits des industries extractives
M : produits manufacturés

Chiffres exprimés en millions de dollars   Source : OMC

Échelle à l'équateur
0   2 000 km

produits manufacturés. La moitié du commerce africain est réalisée avec l'Europe, en raison de l'ancienneté des liens qui ont perduré après la décolonisation. Depuis une décennie, les États africains tentent de promouvoir des organisations régionales de marché dont les résultats économiques commencent à se faire sentir.

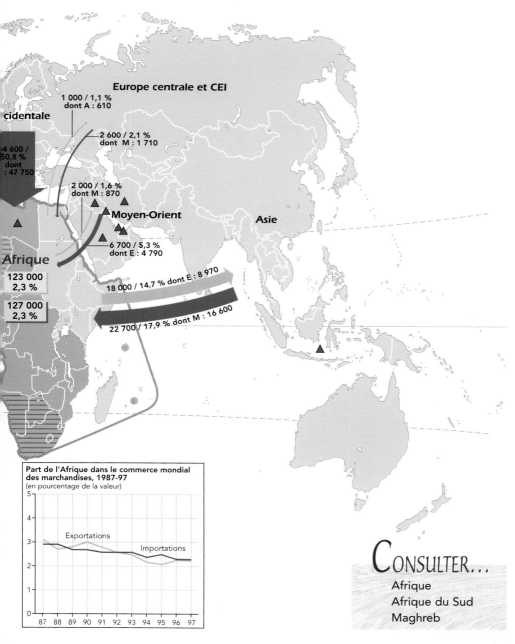

Europe centrale et CEI

1 000 / 1,1 %
dont A : 610

cidentale

2 600 / 2,1 %
dont M : 1 710

4 600 /
50,8 %
dont
: 47 750

2 000 / 1,6 %
dont M : 870

Moyen-Orient

Asie

6 700 / 5,3 %
dont E : 4 790

Afrique

123 000
2,3 %

127 000
2,3 %

18 000 / 14,7 % dont E : 8 970

22 700 / 17,9 % dont M : 16 600

Part de l'Afrique dans le commerce mondial
des marchandises, 1987-97
(en pourcentage de la valeur)

Exportations

Importations

87 88 89 90 91 92 93 94 95 96 97

CONSULTER...

Afrique
Afrique du Sud
Maghreb

Désertification et famine

Exploitation des sols

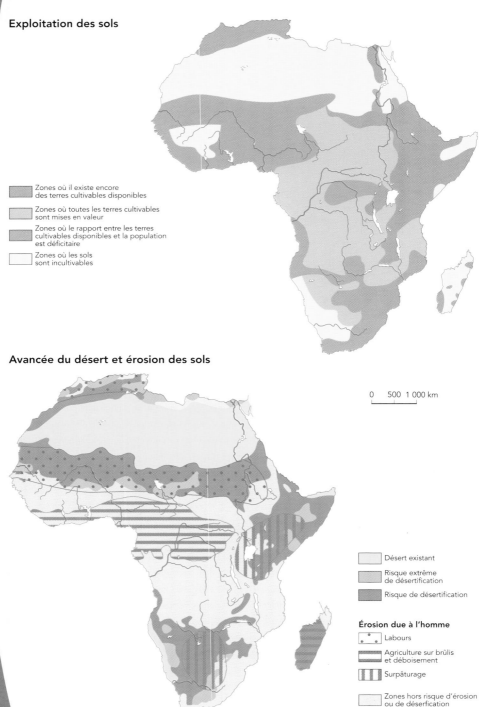

Zones où il existe encore
des terres cultivables disponibles

Zones où toutes les terres cultivables
sont mises en valeur

Zones où le rapport entre les terres
cultivables disponibles et la population
est déficitaire

Zones où les sols
sont incultivables

Avancée du désert et érosion des sols

0   500 1 000 km

Désert existant

Risque extrême
de désertification

Risque de désertification

Érosion due à l'homme

Labours

Agriculture sur brûlis
et déboisement

Surpâturage

Zones hors risque d'érosion
ou de déserfication

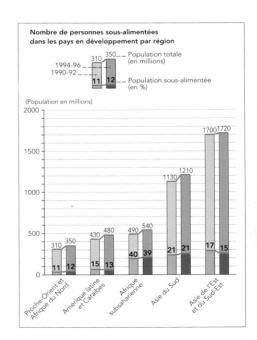

Famines

● — ● Régions touchées par la famine

NIGER
1972-1974 Dernières grandes famines

Sous-alimentation
Disponibilités énergétiques alimentaires
1994-1996 (kcal/personne/jour)

2000 2300 2600 2900 3200

Données manquantes

Sous-alimentation et famine

L'Afrique est un continent fragile, tant du point de vue climatique et pédologique qu'humain. La faiblesse des processus techniques entrave une exploitation rationnelle des sols, tandis que l'importante extension des zones arides ou sèches contribue à limiter les régions fertiles. La disponibilité alimentaire minimale par habitant n'est pas assurée en permanence à l'ensemble de la population, dont une partie vit en état de malnutrition chronique. Ainsi sous-alimentation, désertification et exploitation excessive des sols, due aux labours, au surpâturage, au déboisement et à l'agriculture sur brûlis, se combinent en Afrique subsaharienne, provoquant de nombreuses famines notamment dans la zone sahélienne. Toutefois, ce sont les guerres civiles qui ont engendré les famines les plus meurtrières, dans la mesure où les belligérants ont utilisé l'arme alimentaire afin de faire céder leur adversaire.

CONSULTER...

Afrique   Sahel
Éthiopie   Somalie
Sahara   Soudan

Nombre de personnes sous-alimentées
dans les pays en développement par région

1994-96 — 310 350 — Population totale (en millions)
1990-92 —
11 12 — Population sous-alimentée (en %)

(Population en millions)

Dynamiques urbaines

   La population africaine est en voie d'urbanisation accélérée. Les ruraux restent majoritaires mais l'exode rural se traduit par la pauvreté et la précarité. Le rythme de croissance de la population a doublé en dix ans et revêt une grande ampleur, notamment dans la région du golfe de Guinée. Cependant, la transformation des modes de vie accélère l'entrée dans l'économie marchande et entraîne une baisse rapide de la fécondité dans les zones urbaines. L'Afrique entame par les villes sa transition démographique et son entrée dans l'économie mondiale.

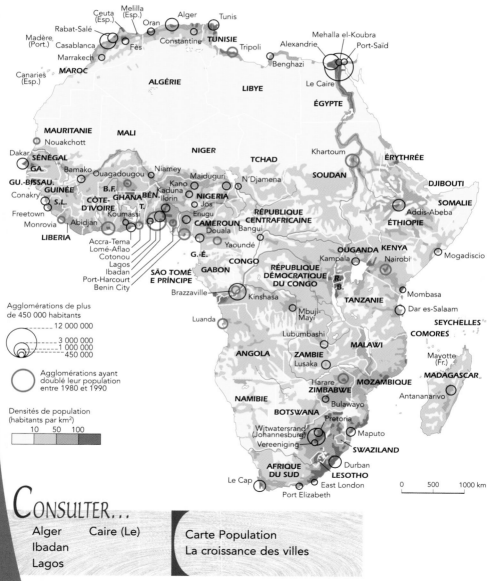

C ONSULTER...

Alger   Caire (Le)
Ibadan
Lagos

Carte Population
La croissance des villes

L'Afrique des grands lacs

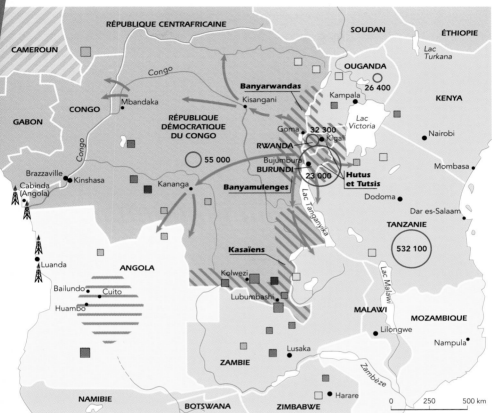

RÉPUBLIQUE CENTRAFRICAINE

SOUDAN

ÉTHIOPIE

CAMEROUN

Lac Turkana

OUGANDA

Banyarwandas

26 400

Kampala

KENYA

CONGO

Mbandaka

Kisangani

Lac Victoria

Nairobi

GABON

RÉPUBLIQUE DÉMOCRATIQUE DU CONGO

Goma 32 300
Kigali

RWANDA

Mombasa

Brazzaville

55 000

Bujumbura
BURUNDI

Dodoma

Kinshasa

Kananga

23 000 **Hutus et Tutsis**

Cabinda (Angola)

Banyamulenges

Dar es-Salaam

Lac Tanganyika

TANZANIE

532 100

Luanda

ANGOLA

Kasaïens

Kolwezi

Bailundo
Cuito

Lubumbashi

Huambo

Lac Malawi

MALAWI

MOZAMBIQUE

Lilongwe

Nampula

Lusaka

ZAMBIE

Zambèze

NAMIBIE

BOTSWANA

ZIMBABWE

Harare

0   250   500 km

Bien que regorgeant de ressources minières, les pays de cette zone sont parmi les plus pauvres du monde. Cette situation s'explique par les difficultés rencontrées dans la gestion de l'après-indépendance, qui a vu se succéder des guerres civiles, des dictatures et des conflits interethniques, qui ont dégénéré en génocides. Les conflits sont aigus au contact des aires francophone et anglophone.

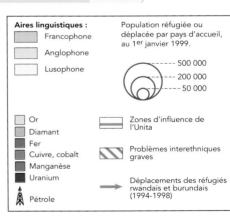

Aires linguistiques :
- Francophone
- Anglophone
- Lusophone

Population réfugiée ou déplacée par pays d'accueil, au 1er janvier 1999.

- – – – 500 000
- – – – 200 000
- – – – 50 000

- Or
- Diamant
- Fer
- Cuivre, cobalt
- Manganèse
- Uranium
- Pétrole

Zones d'influence de l'Unita

Problèmes interethniques graves

Déplacements des réfugiés rwandais et burundais (1994-1998)

CONSULTER...

Asie

L'Asie dans le monde

Avec le quart des échanges internationaux, l'Asie a conquis la deuxième place derrière l'Europe. Le Japon, troisième puissance commerciale mondiale, a longtemps tiré ses partenaires régionaux les quatre « dragons » (Corée-du-Sud, Hong-Kong, Taiwan et Singapour) qui, ensemble, commercent plus que l'Allemagne. Toutefois l'Asie du Sud reste en retard : l'Inde, avec 17 % de la population mondiale, ne réalise que 0,66 % du commerce mondial. Le Moyen-Orient demeure essentiellement un fournisseur de pétrole, dont la place dépend du prix du baril. La crise financière de l'Asie du Sud-Est (1997-1998) s'atténue avec les politiques d'assainissement et la baisse des prix des produits exportés relance le commerce.

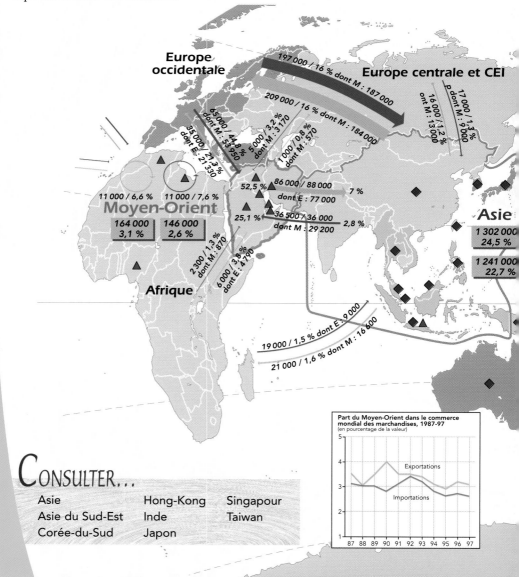

Europe occidentale

Europe centrale et CEI

197 000 / 16 % dont M : 187 000

209 000 / 16 % dont M : 184 000

17 000 / 1,3 % p dont M : 9000

16 000 / 1,2 % ont M : 13 000

65 000 / 44,8 % dont M : 53 950

35 000 / 27,3 % dont E : 21 330

5 000 / 3,2 % dont M : 3 170

11 000 / 0,8 % dont M : 570

86 000 / 88 000
dont E : 77 000

52,5 %

7 %

Moyen-Orient

11 000 / 6,6 % 11 000 / 7,6 %

164 000
3,1 %

146 000
2,6 %

25,1 %

36 500 / 36 000
dont M : 29 200

2,8 %

Asie

1 302 000
24,5 %

1 241 000
22,7 %

2 300 / 1,3 % dont M : 870

6 000 / 3,8 % dont E : 4 790

Afrique

19 000 / 1,5 % dont E : 9 000

21 000 / 1,6 % dont M : 16 600

Part du Moyen-Orient dans le commerce mondial des marchandises, 1987-97
(en pourcentage de la valeur)

Exportations

Importations

87 88 89 90 91 92 93 94 95 96 97

CONSULTER...

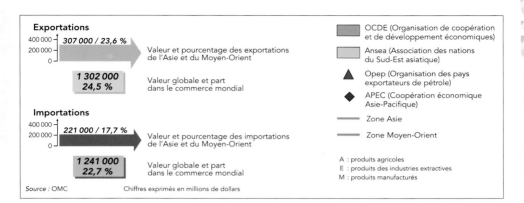

Exportations

400 000
200 000
0

307 000 / 23,6 %   Valeur et pourcentage des exportations de l'Asie et du Moyen-Orient

1 302 000 24,5 %   Valeur globale et part dans le commerce mondial

Importations

400 000
200 000
0

221 000 / 17,7 %   Valeur et pourcentage des importations de l'Asie et du Moyen-Orient

1 241 000 22,7 %   Valeur globale et part dans le commerce mondial

Source : OMC   Chiffres exprimés en millions de dollars

OCDE (Organisation de coopération et de développement économiques)

Ansea (Association des nations du Sud-Est asiatique)

▲ Opep (Organisation des pays exportateurs de pétrole)

◆ APEC (Coopération économique Asie-Pacifique)

— Zone Asie

— Zone Moyen-Orient

A : produits agricoles
E : produits des industries extractives
M : produits manufacturés

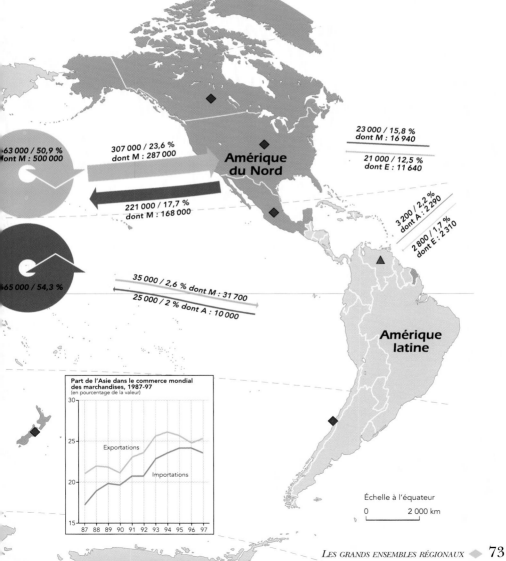

23 000 / 15,8 % dont M : 16 940

21 000 / 12,5 % dont E : 11 640

3 200 / 2,2 % dont A : 2 290

2 800 / 1,7 % dont E : 2 310

63 000 / 50,9 % dont M : 500 000

307 000 / 23,6 % dont M : 287 000

Amérique du Nord

221 000 / 17,7 % dont M : 168 000

65 000 / 54,3 %

35 000 / 2,6 % dont M : 31 700

25 000 / 2 % dont A : 10 000

Amérique latine

Part de l'Asie dans le commerce mondial des marchandises, 1987-97
(en pourcentage de la valeur)

Exportations

Importations

30
25
20
15

87 88 89 90 91 92 93 94 95 96 97

Échelle à l'équateur

0   2 000 km

Principaux peuples d'Asie

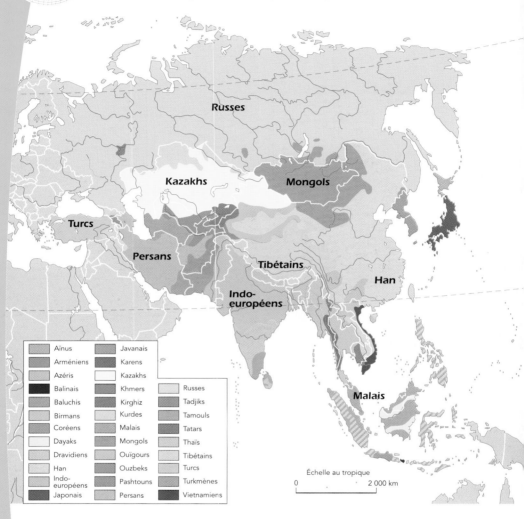

Russes

Kazakhs   Mongols

Turcs

Persans   Tibétains

Indo-
européens   Han

Aïnus	Javanais		
Arméniens	Karens		
Azéris	Kazakhs	Russes	
Balinais	Khmers	Tadjiks	
Baluchis	Kirghiz	Tamouls	
Birmans	Kurdes	Tatars	
Coréens	Malais	Thaïs	
Dayaks	Mongols	Tibétains	
Dravidiens	Ouïgours	Turcs	
Han	Ouzbeks	Turkmènes	
Indo-européens	Pashtouns	Vietnamiens	
Japonais	Persans		

Malais

Échelle au tropique
0   2 000 km

L'Asie est composée d'une myriade de peuples, dont certains sont dominants dans une région, tels les Russes au Nord, les turco-mongols en Asie centrale, les Han, les Japonais, les Persans ou les Coréens. Ailleurs, se mêle aux peuples dominants une mosaïque de minorités ethniques qui, comme en Asie du Sud-Est, sont fréquemment maintenues en tutelle, voire persécutées (Tibétains, Karens, Tamouls).

Consulter...

Balinais	Javanais	Malais	Pashtouns
Dayaks	Khmers	Mongols	Tamouls
Dravidiens	Kurdes	Ouïgours	Thaïs

Les deux Asie

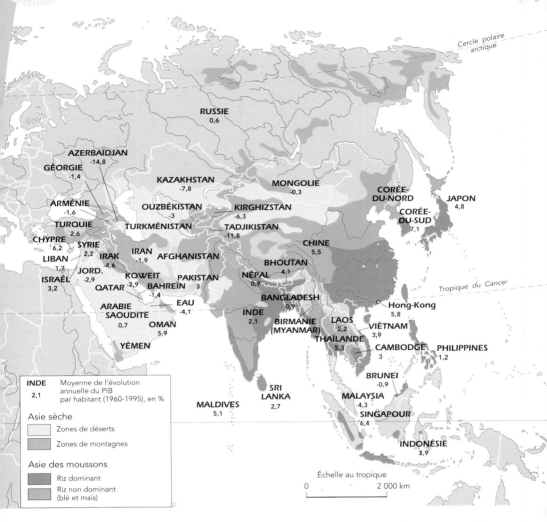

Cercle polaire
arctique

RUSSIE
0,6

AZERBAÏDJAN
-14,8
GÉORGIE
-1,4

KAZAKHSTAN
-7,8

MONGOLIE
-0,3

CORÉE-
DU-NORD

JAPON
4,8

ARMÉNIE
-1,6

OUZBÉKISTAN
-3

KIRGHIZSTAN
-6,3

CORÉE-
DU-SUD
7,1

TURQUIE
-2,6

TURKMÉNISTAN

TADJIKISTAN
-11,8

CHYPRE
6,2

SYRIE
2,2

IRAN
-1,9

AFGHANISTAN

CHINE
5,5

LIBAN
1,7

IRAK
-4,6

BHOUTAN
4,1

JORD.
ISRAËL
3,2

KOWEIT
-2,9
BAHREÏN
-1,4

PAKISTAN
3

NÉPAL
0,9

QATAR
-2,9

EAU
-4,1

BANGLADESH
0,9

Hong-Kong
5,8

ARABIE
SAOUDITE
0,7

OMAN
5,9

INDE
2,1

BIRMANIE
(MYANMAR)

LAOS
2,2

VIÊTNAM
3,9

YÉMEN

THAÏLANDE
5,3

CAMBODGE
3

PHILIPPINES
1,2

BRUNEI
-0,9

SRI
LANKA
2,7

MALAYSIA
4,3

MALDIVES
5,1

SINGAPOUR
6,4

INDONÉSIE
3,9

Tropique du Cancer

INDE
2,1
Moyenne de l'évolution
annuelle du PIB
par habitant (1960-1995), en %

Asie sèche
Zones de déserts
Zones de montagnes

Asie des moussons
Riz dominant
Riz non dominant
(blé et maïs)

Échelle au tropique

0   2 000 km

De la mer Rouge au Kamtchatka, l'Asie aride et montagneuse est faiblement peuplée, et son économie accuse un net retard. En revanche, l'Asie des moussons, au Sud et au Sud-Est, est la zone la plus peuplée du monde, grâce aux qualités énergétiques du riz et aux forts rendements atteints. Au sein de cette zone, l'Est, du Japon à l'Indonésie, a connu un essor industriel et une croissance du PIB par habitant très vifs.

Consulter...

Asie   Corée-du-Sud   Indonésie   Népal
Asie du Sud-Est   Hong-Kong   Japon   Singapour
Bangladesh   Inde   Malaysia

Israël et les Palestiniens

Lorsque l'ONU décide en 1947 le partage de la Palestine entre un État juif et un État arabe, l'affrontement entre les deux peuples qui revendiquent la même terre devient inévitable. L'histoire d'Israël est rythmée par quatre guerres (1948-1949, 1956, 1967, 1973) et de multiples conflits, attentats et représailles. En 1993, les Palestiniens obtiennent cependant de retrouver une patrie autonome, en dépit des difficultés d'application des accords. Tandis que le problème du retour des réfugiés palestiniens demeure en suspens, la bataille de la colonisation de la Cisjordanie fait rage, exacerbée par la volonté des partisans du grand Israël de contrôler l'accès à la nappe phréatique, pour les besoins de l'économie israélienne. Établir une paix durable en Palestine reste un enjeu majeur pour la communauté internationale.

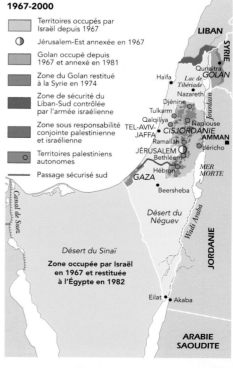

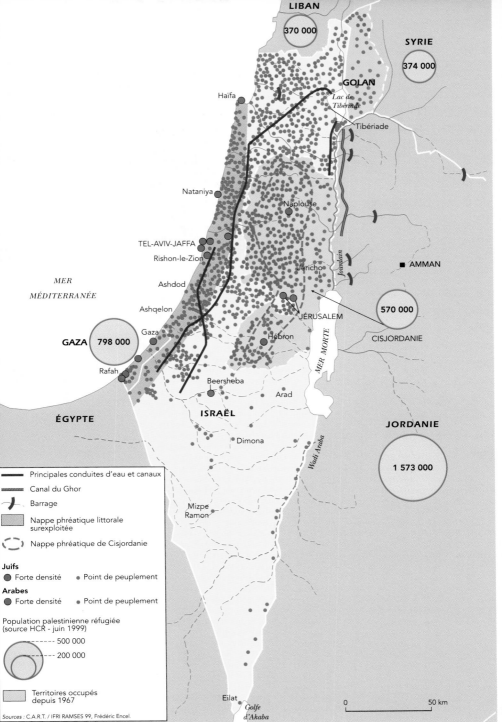

ASIE

LIBAN

370 000

SYRIE

374 000

GOLAN

Haïfa

Lac de Tibériade

Tibériade

Nataniya

Naplouse

TEL-AVIV-JAFFA

Rishon-le-Zion

■ AMMAN

Jourdain

Jéricho

Ashdod

MER
MÉDITERRANÉE

Ashqelon

JÉRUSALEM

570 000

Gaza

CISJORDANIE

GAZA   798 000

Hébron

Rafah

MER MORTE

Beersheba

Arad

ÉGYPTE

ISRAËL

JORDANIE

Dimona

1 573 000

Wadi Araba

Principales conduites d'eau et canaux

Canal du Ghor

Barrage

Nappe phréatique littorale
surexploitée

Nappe phréatique de Cisjordanie

Mizpe
Ramon

Juifs
● Forte densité   • Point de peuplement

Arabes
● Forte densité   • Point de peuplement

Population palestinienne réfugiée
(source HCR - juin 1999)

------- 500 000

------- 200 000

Territoires occupés
depuis 1967

Eilat

*Golfe
d'Akaba*

0   50 km

Sources : C.A.R.T. / IFRI RAMSES 99, Frédéric Encel.

CONSULTER...

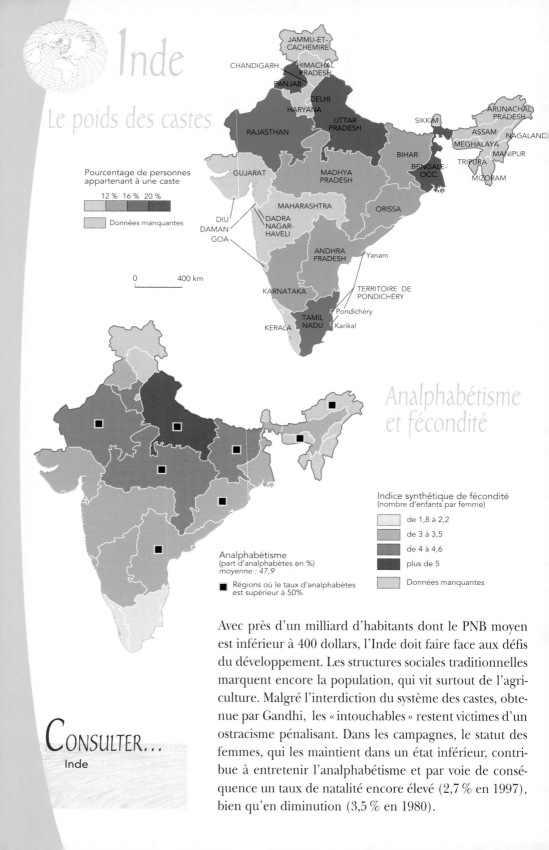

Inde
Le poids des castes

Pourcentage de personnes appartenant à une caste

12 % 16 % 20 %

Données manquantes

JAMMU-ET-CACHEMIRE
CHANDIGARH
HIMACHAL PRADESH
PANJAB
HARYANA
DELHI
RAJASTHAN
UTTAR PRADESH
SIKKIM
ARUNACHAL PRADESH
ASSAM
NAGALAND
MEGHALAYA
MANIPUR
TRIPURA
MIZORAM
GUJARAT
MADHYA PRADESH
BIHAR
BENGALE-OCC.
DIU
DADRA NAGAR-HAVELI
DAMAN
GOA
MAHARASHTRA
ORISSA
ANDHRA PRADESH
Yanam
TERRITOIRE DE PONDICHÉRY
KARNATAKA
Pondichéry
TAMIL NADU
KERALA
Karikal

0   400 km

Analphabétisme et fécondité

Indice synthétique de fécondité (nombre d'enfants par femme)

de 1,8 à 2,2
de 3 à 3,5
de 4 à 4,6
plus de 5
Données manquantes

Analphabétisme (part d'analphabètes en %) moyenne : 47,9

■ Régions où le taux d'analphabètes est supérieur à 50%

Consulter…
Inde

Avec près d'un milliard d'habitants dont le PNB moyen est inférieur à 400 dollars, l'Inde doit faire face aux défis du développement. Les structures sociales traditionnelles marquent encore la population, qui vit surtout de l'agriculture. Malgré l'interdiction du système des castes, obtenue par Gandhi, les « intouchables » restent victimes d'un ostracisme pénalisant. Dans les campagnes, le statut des femmes, qui les maintient dans un état inférieur, contribue à entretenir l'analphabétisme et par voie de conséquence un taux de natalité encore élevé (2,7 % en 1997), bien qu'en diminution (3,5 % en 1980).

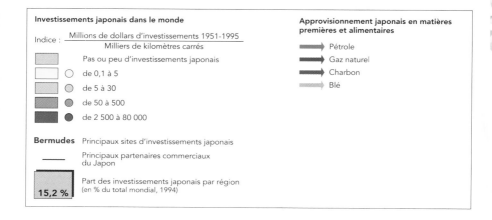

Investissements japonais dans le monde

Indice : $\dfrac{\text{Millions de dollars d'investissements 1951-1995}}{\text{Milliers de kilomètres carrés}}$

Pas ou peu d'investissements japonais

○ de 0,1 à 5

○ de 5 à 30

● de 50 à 500

● de 2 500 à 80 000

Bermudes Principaux sites d'investissements japonais

Principaux partenaires commerciaux du Japon

15,2 % Part des investissements japonais par région (en % du total mondial, 1994)

Approvisionnement japonais en matières premières et alimentaires

Pétrole

Gaz naturel

Charbon

Blé

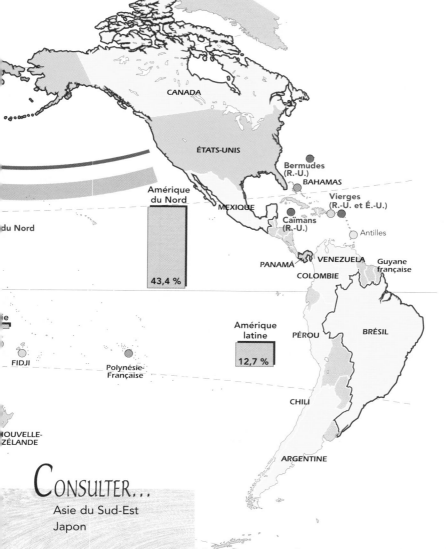

CANADA

ÉTATS-UNIS

Amérique
du Nord

du Nord

MEXIQUE

Bermudes
(R.-U.)

BAHAMAS

Vierges
(R.-U. et É.-U.)

Caïmans
(R.-U.)

Antilles

43,4 %

PANAMÁ

VENEZUELA

COLOMBIE

Guyane
française

Amérique
latine

PÉROU

BRÉSIL

12,7 %

FIDJI

Polynésie
Française

CHILI

NOUVELLE-
ZÉLANDE

ARGENTINE

CONSULTER...

Asie du Sud-Est

Japon

Le Japon dans le monde

La croissance de l'économie japonaise, entre les années 1950 et 1990, a porté ce pays au deuxième rang économique mondial. Grâce au très fort taux d'épargne de ses habitants, le Japon est le premier créancier mondial avec 800 milliards de dollars d'avoirs à l'étranger. Les firmes japonaises ont investi dans l'industrie en Europe et en Asie du Sud-Est et ont financé en partie les déficits budgétaires américains. Toutefois, depuis le début des années 1990, la crise financière, boursière et immobilière s'est transformée en une crise de confiance et de consommation. La récession japonaise a contribué à déclencher la crise asiatique de l'été 1997.

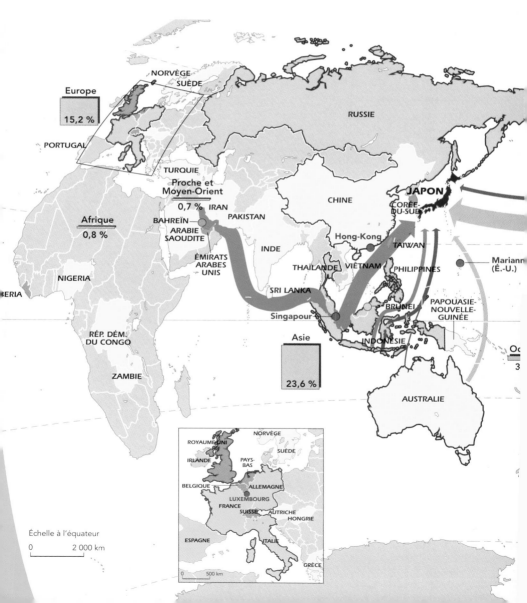

Les trois Chine

Les Han, qui constituent 95 % de la population chinoise, occupent les grandes plaines et les plateaux où poussent le blé (au Nord) et le riz. Les 55 ethnies officiellement recensées occupent de façon parcellaire un territoire aride (Xinjiang), semi-aride (Mongolie-Intérieure) ou montagneux (Tibet, Yunnan). La division traditionnelle entre Chine littorale, de l'Ouest et intérieure est perpétuée depuis 1946 par le régime communiste, qui privilégie le développement de la Chine littorale et de quelques régions de la Chine de l'Ouest, tandis que les minorités ethniques et religieuses sont fréquemment persécutées, notamment au Tibet. La récente transition vers « l'économie socialiste de marché » contribue à accentuer cette partition avec la création de zones économiques spéciales sur le littoral méridional (Xiamen, Shantou, Shenzhen, Zhuhai et Hainan) et l'ouverture de ports au commerce international.

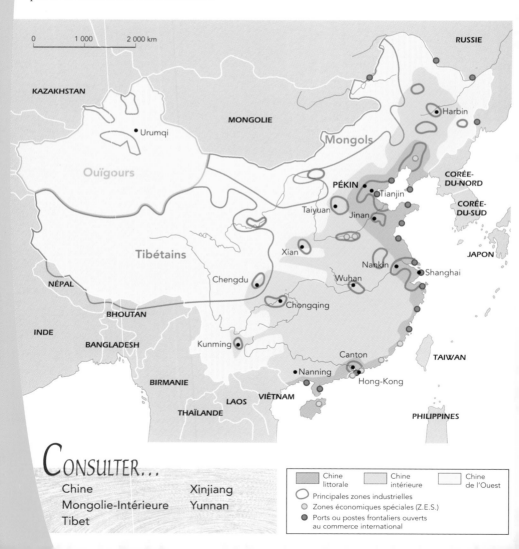

Les Chinois d'outre-mer

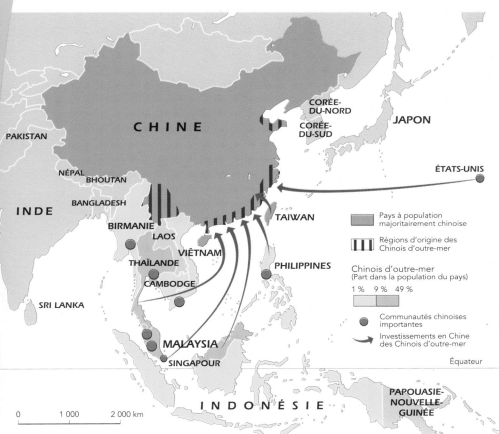

PAKISTAN

CHINE

CORÉE-DU-NORD

CORÉE-DU-SUD

JAPON

NÉPAL

BHOUTAN

ÉTATS-UNIS

INDE

BANGLADESH

BIRMANIE

LAOS

TAIWAN

THAÏLANDE

VIÊTNAM

PHILIPPINES

CAMBODGE

SRI LANKA

MALAYSIA

SINGAPOUR

PAPOUASIE-NOUVELLE-GUINÉE

INDONÉSIE

Équateur

Pays à population majoritairement chinoise

Régions d'origine des Chinois d'outre-mer

Chinois d'outre-mer
(Part dans la population du pays)
1 %   9 %   49 %

Communautés chinoises importantes

Investissements en Chine des Chinois d'outre-mer

0   1 000   2 000 km

La Chine du Sud-Est est une terre d'émigration vers le rives de la « Méditerranée asiatique ». Environ 25 millions de personnes, pour la plupart originaires de Chine méridionale (Fujian et Guangdong), vivent en Asie du Sud-Est. Majoritaires à Singapour, bien intégrés en Thaïlande, les Chinois d'outre-mer sont parfois victimes de tensions raciales. Inversement, la Chine revendique les archipels Paracels et Spratly. Le régime communiste s'ouvre grâce aux investissements de la diaspora d'Asie, d'Amérique et d'Europe.

Spratly   Îles ou archipels revendiqués par la Chine

Limite des eaux territoriales revendiquées par la Chine

Tachen
Matsu   Senkaku
Quemoy
VIÊTNAM   Hanoi   Hong-Kong   Penghu   TAIWAN   Taipei
LAOS
Vientiane
Paracels
THAÏLANDE
PHILIPPINES
Manille
CAMBODGE
Phnom Penh
Spratly
BRUNEI   Bandar Seri Begawan
MALAYSIA
SINGAPOUR
INDONÉSIE
0   500   1 000 km

Consulter...

Chine	Philippines	Thaïlande
Fujian	Singapour	
Malaysia	Spratly	

Amérique

L'Amérique du Nord dans le monde

Pour l'OMC, l'Amérique du Nord est composée des États-Unis et du Canada, mais depuis qu'ils se sont regroupés avec le Mexique dans l'Alena, ces trois pays constituent une puissance économique considérable, dont l'intégration va croissante. Toutefois, l'influence des États-Unis, en grande partie autosuffisants, limite à moins de 20 % le poids de l'Amérique du Nord dans le commerce international. Les échanges, principalement de produits manufacturés, se font avec l'Alena, l'Asie du Sud-Est, l'Europe occidentale et l'Amérique latine. La faiblesse du commerce avec l'Europe de l'Est, le Moyen-Orient et l'Afrique reflète le faible développement de ces zones par rapport à l'Amérique du Nord.

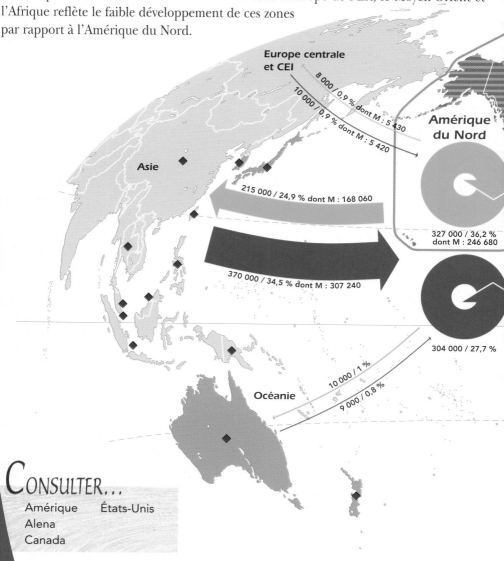

Europe centrale et CEI

8 000 / 0,9 % dont M : 5 430

10 000 / 0,9 % dont M : 5 420

Amérique du Nord

Asie

215 000 / 24,9 % dont M : 168 060

327 000 / 36,2 % dont M : 246 680

370 000 / 34,5 % dont M : 307 240

304 000 / 27,7 %

Océanie

10 000 / 1 %

9 000 / 0,8 %

CONSULTER...

Amérique   États-Unis
Alena
Canada

Part de l'Amérique du Nord dans le commerce mondial des marchandises, 1987-97
(en pourcentage de la valeur)

Importations

Exportations

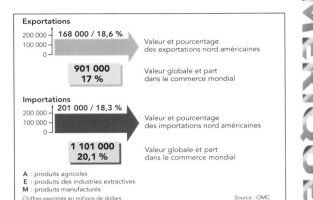

Exportations

200 000
100 000
0

168 000 / 18,6 %

Valeur et pourcentage
des exportations nord américaines

901 000
17 %

Valeur globale et part
dans le commerce mondial

Importations

200 000
100 000
0

201 000 / 18,3 %

Valeur et pourcentage
des importations nord américaines

1 101 000
20,1 %

Valeur globale et part
dans le commerce mondial

A : produits agricoles
E : produits des industries extractives
M : produits manufacturés
Chiffres exprimés en millions de dollars

Source : OMC

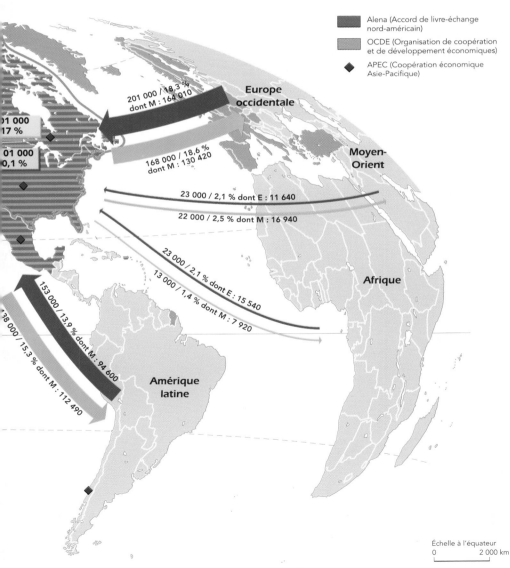

Alena (Accord de livre-échange nord-américain)

OCDE (Organisation de coopération et de développement économiques)

APEC (Coopération économique Asie-Pacifique)

Europe occidentale

Moyen-Orient

Afrique

Amérique latine

201 000 / 18,3 %
dont M : 164 010

168 000 / 18,6 %
dont M : 130 420

23 000 / 2,1 % dont E : 11 640

22 000 / 2,5 % dont M : 16 940

23 000 / 2,1 % dont E : 15 540

13 000 / 1,4 % dont M : 7 920

153 000 / 13,9 % dont M : 94 600

138 000 / 15,3 % dont M : 112 490

01 000
17 %

01 000
0,1 %

Échelle à l'équateur
0   2 000 km

Les États-Unis
Présence militaire et économique

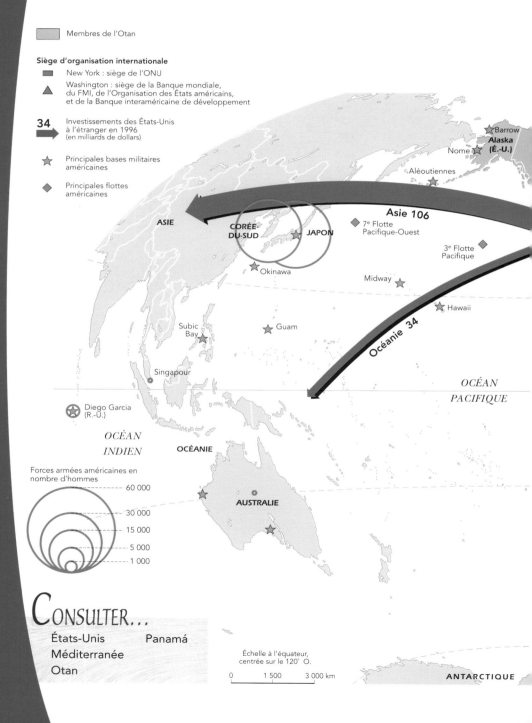

Membres de l'Otan

Siège d'organisation internationale

New York : siège de l'ONU

Washington : siège de la Banque mondiale, du FMI, de l'Organisation des États américains, et de la Banque interaméricaine de développement

34 Investissements des États-Unis à l'étranger en 1996 (en milliards de dollars)

☆ Principales bases militaires américaines

◆ Principales flottes américaines

ASIE

Barrow
Alaska (É.-U.)
Nome
Aléoutiennes

CORÉE-DU-SUD
JAPON

Asie 106

7e Flotte Pacifique-Ouest

3e Flotte Pacifique

Okinawa

Midway

Hawaii

Subic Bay

Guam

Océanie 34

Singapour

OCÉAN PACIFIQUE

Diego Garcia (R.-U.)

OCÉAN INDIEN

OCÉANIE

Forces armées américaines en nombre d'hommes

60 000
30 000
15 000
5 000
1 000

AUSTRALIE

ANTARCTIQUE

Consulter...

États-Unis   Panamá
Méditerranée
Otan

Échelle à l'équateur, centrée sur le 120° O.

0   1 500   3 000 km

L'influence américaine, avant tout économique et militaire, voire culturelle, confère aux États-Unis le rang de première puissance politique du monde. Appuyés par les forces européennes et canadiennes de l'Otan, les Américains ont conservé de la Deuxième Guerre mondiale, puis de la guerre froide, des installations militaires, le déploiement de forces armées et de flottes maritimes, dispersées à travers les continents et les océans. Le poids des investissements américains, près de 800 milliards de dollars, permet de renforcer les liens avec les alliés européens (50 %), latino-américains (20 %) et de la zone Asie-Pacifique (20 %). En Europe de l'Est et au Moyen-Orient, où les investissements sont faibles, l'influence américaine se traduit par une présence militaire renforcée.

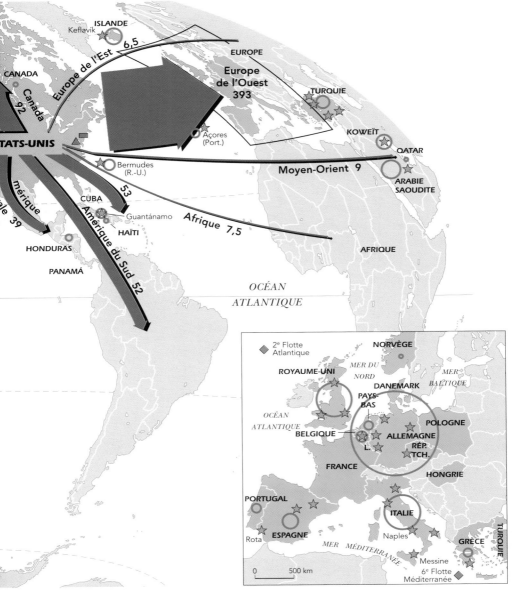

Les États-Unis
La première puissance mondiale

À eux seuls, les États-Unis représentent le quart de la production mondiale. L'Union européenne prise dans son ensemble atteint un niveau comparable mais des divisions l'empêchent de contrebalancer la puissance américaine. Le Japon ou l'Amérique latine représentent à peine 40 % du PNB américain, la Russie moins de 10 %, l'Afrique 6 %, mais la Chine et l'Inde ensemble près de 75 %.

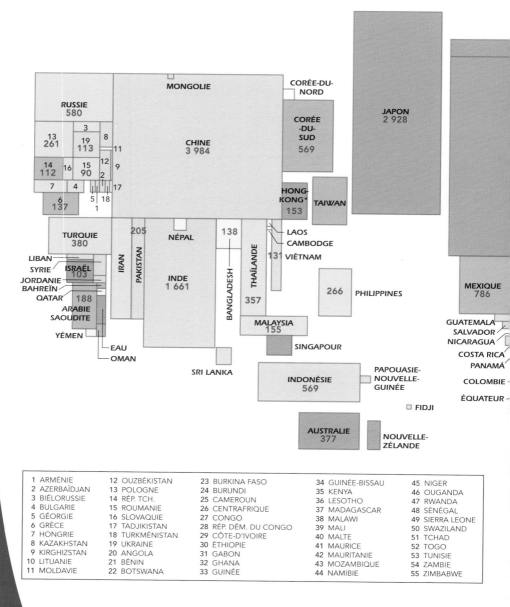

MONGOLIE

CORÉE-DU-NORD

RUSSIE 580

JAPON 2 928

3
13 261 — 19 113 — 8

CHINE 3 984

CORÉE-DU-SUD 569

11

14 112 — 16 — 15 90 — 12 — 9
2
7 — 4 — 17
5 — 18
6 137 — 1

HONG-KONG* 153

TAIWAN

TURQUIE 380

205

NÉPAL

138

LAOS
CAMBODGE
131 VIÊTNAM

LIBAN
SYRIE — ISRAËL 103
JORDANIE
BAHREÏN
QATAR — 188
ARABIE SAOUDITE
YÉMEN

IRAN

PAKISTAN

INDE 1 661

BANGLADESH

THAÏLANDE
357

266 — PHILIPPINES

MEXIQUE 786

EAU
OMAN

MALAYSIA 155

SINGAPOUR

SRI LANKA

INDONÉSIE 569

PAPOUASIE-NOUVELLE-GUINÉE

GUATEMALA
SALVADOR
NICARAGUA

COSTA RICA
PANAMÁ

COLOMBIE

ÉQUATEUR

☐ FIDJI

AUSTRALIE 377

NOUVELLE-ZÉLANDE

1 ARMÉNIE	12 OUZBÉKISTAN	23 BURKINA FASO	34 GUINÉE-BISSAU	45 NIGER
2 AZERBAÏDJAN	13 POLOGNE	24 BURUNDI	35 KENYA	46 OUGANDA
3 BIÉLORUSSIE	14 RÉP. TCH.	25 CAMEROUN	36 LESOTHO	47 RWANDA
4 BULGARIE	15 ROUMANIE	26 CENTRAFRIQUE	37 MADAGASCAR	48 SÉNÉGAL
5 GÉORGIE	16 SLOVAQUIE	27 CONGO	38 MALAWI	49 SIERRA LEONE
6 GRÈCE	17 TADJIKISTAN	28 RÉP. DÉM. DU CONGO	39 MALI	50 SWAZILAND
7 HONGRIE	18 TURKMÉNISTAN	29 CÔTE-D'IVOIRE	40 MALTE	51 TCHAD
8 KAZAKHSTAN	19 UKRAINE	30 ÉTHIOPIE	41 MAURICE	52 TOGO
9 KIRGHIZSTAN	20 ANGOLA	31 GABON	42 MAURITANIE	53 TUNISIE
10 LITUANIE	21 BÉNIN	32 GHANA	43 MOZAMBIQUE	54 ZAMBIE
11 MOLDAVIE	22 BOTSWANA	33 GUINÉE	44 NAMIBIE	55 ZIMBABWE

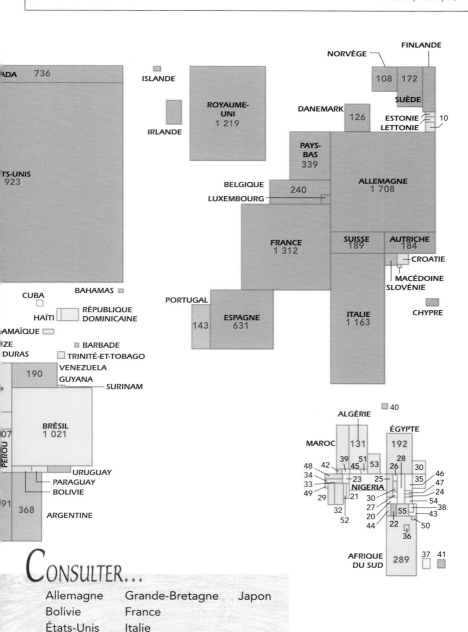

PNB en milliards de dollars de PPA 1998 :

- — — — 1 000
- — — — 500
- — — — 100
- — — — 10

PNB des principaux États en milliards de dollars : **7 923**

PNB par habitant en dollars de PPA 1998 :

- plus de 15 000 $
- de 8 000 à 15 000 $
- de 3 500 à 8 000 $
- de 1 500 à 3 500 $
- moins de 1 500 $
- données manquantes

Le taux de change de parité de pouvoir d'achat par rapport au dollar est le nombre d'unités de monnaie nationale qui permet d'acquérir, dans le pays considéré, le même panier de biens et services qu'un dollar aux États-Unis.

* Hong-Kong : Les données datent d'avant la rétrocession à la Chine continentale.

© CART/IFRI

Source : Banque mondiale, *World Development Report, 1999-2000.*

AMÉRIQUE

NORVÈGE — FINLANDE

ISLANDE

ADA 736

ROYAUME-UNI 1 219

IRLANDE

DANEMARK

NORVÈGE 108 | 172 SUÈDE

126

ESTONIE
LETTONIE 10

PAYS-BAS 339

BELGIQUE 240
LUXEMBOURG

ALLEMAGNE 1 708

TS-UNIS 923

FRANCE 1 312

SUISSE 189 | **AUTRICHE** 184

CROATIE

MACÉDOINE
SLOVÉNIE

CUBA

BAHAMAS

HAÏTI

RÉPUBLIQUE DOMINICAINE

PORTUGAL

ESPAGNE 631

143

ITALIE 1 163

CHYPRE

AMAÏQUE

ZE
DURAS

BARBADE

TRINITÉ-ET-TOBAGO

VENEZUELA
190
GUYANA
SURINAM

07

BRÉSIL 1 021

PÉROU

URUGUAY
PARAGUAY
BOLIVIE

91 | 368

ARGENTINE

40

ALGÉRIE

MAROC | 131

ÉGYPTE 192

48 | 42
34
33
49 | 29

39
45 | 51
23 | 25
21
30
27
20
44

53
26
28
NIGERIA

30
35

46
47
24
54
38
43
50

32
52

22
55

36

AFRIQUE DU SUD 289

37 | 41

CONSULTER...

Les États-Unis
Les minorités ethniques

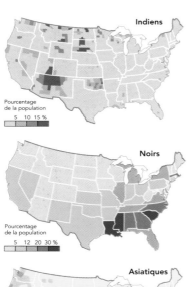

Indiens

Pourcentage
de la population
5 10 15 %

Noirs

Pourcentage
de la population
5 12 20 30 %

Asiatiques

Pourcentage
de la population
1 3 10 %

Hispaniques

Pourcentage
de la population
5 10 15 %

Seattle
WASHINGTON
Portland

OREGON   **IDAHO**

Sacramento
Salt Lake City
NEVADA
San Francisco
UTAH
CALIFORNIE
Los Angeles
ARIZONA
San Diego
Calexico
Tijuana
Phoenix
Tecate
Mexicali
Nogales   Doug
Nogales
Agua
Prieta

MEXIQUE

**Agglomérations
de plus d'1 million d'habitants**

1 à 2 millions

2 à 5 millions

5 à 10 millions

10 à 15 millions

plus de 15 millions
d'habitants

L'histoire de la construction des États-Unis se traduit sur les cartes de la population. Les Indiens qui peuplaient les grandes plaines du Centre et de l'Est ont été refoulés à la fin du XIXᵉ siècle dans des réserves situées dans des zones souvent montagneuses ou arides. Les Noirs, réduits en esclavage dans les États du Sud, sont restés dans cette région, mais une partie d'entre eux a émigré vers les centres industriels du Nord-Est, puis plus récemment vers la *Sun Belt* (Texas, Californie). Les Asiatiques se sont cantonnés à la façade Pacifique. Les Hispaniques, principalement originaires du Mexique, sont restés dans les États proches de la frontière, tandis que les Cubains s'installent en Floride et les Portoricains choisissent la région de New York. Les immigrants européens, qui constituent le plus fort peuplement (80 %), ont privilégié la région du Nord-Est, avant d'essaimer dans les grandes plaines du centre puis vers le Sud et l'Ouest Pacifique.

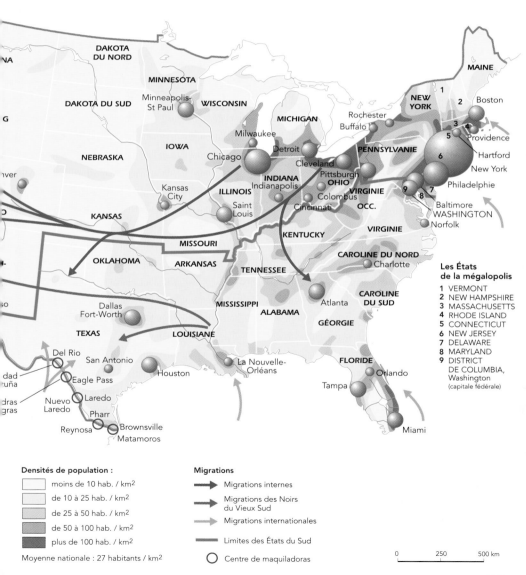

Les États de la mégalopolis
1 VERMONT
2 NEW HAMPSHIRE
3 MASSACHUSETTS
4 RHODE ISLAND
5 CONNECTICUT
6 NEW JERSEY
7 DELAWARE
8 MARYLAND
9 DISTRICT DE COLUMBIA, Washington (capitale fédérale)

Densités de population :
- moins de 10 hab. / km²
- de 10 à 25 hab. / km²
- de 25 à 50 hab. / km²
- de 50 à 100 hab. / km²
- plus de 100 hab. / km²

Moyenne nationale : 27 habitants / km²

Migrations
→ Migrations internes
→ Migrations des Noirs du Vieux Sud
→ Migrations internationales
— Limites des États du Sud
○ Centre de maquiladoras

0   250   500 km

L'Amérique latine dans le monde

L'Amérique latine a vu son poids au sein du commerce international, passer de 4 % à près de 6 % en moins d'une décennie. Avec la moitié des échanges, l'Amérique du Nord reste le partenaire privilégié, tandis que le commerce avec les pays développés d'Europe occidentale et d'Asie commence à prendre un essor important. Les pays d'Amérique latine ont mis en place, sur le modèle de l'Alena et du Marché commun européen, quatre organisations régionales de marché qui visent à intensifier les échanges en réduisant les barrières douanières.

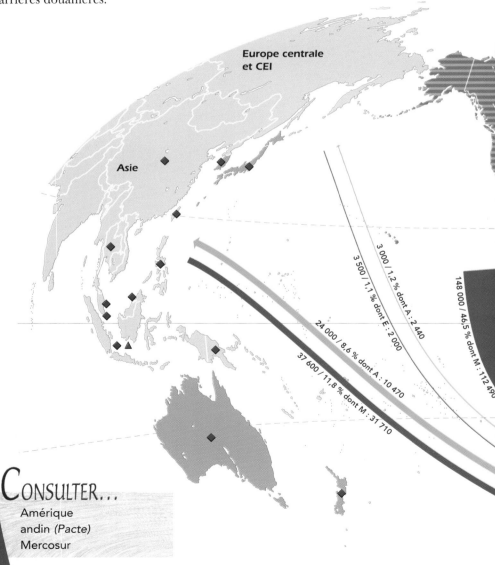

Europe centrale et CEI

Asie

3 000 / 1,2 % dont A : 2 440

3 500 / 1,1 % dont E : 2 000

24 000 / 8,6 % dont A : 10 470

37 600 / 11,8 % dont M : 31 710

148 000 / 46,5 % dont M : 112 490

CONSULTER...

Amérique
andin (Pacte)
Mercosur

Part de l'Amérique latine dans le commerce mondial des marchandises, 1987-97
(en pourcentage de la valeur)

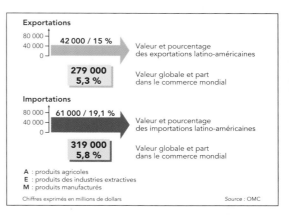

Exportations

80 000
40 000
0

42 000 / 15 % — Valeur et pourcentage des exportations latino-américaines

279 000 5,3 % — Valeur globale et part dans le commerce mondial

Importations

80 000
40 000
0

61 000 / 19,1 % — Valeur et pourcentage des importations latino-américaines

319 000 5,8 % — Valeur globale et part dans le commerce mondial

A : produits agricoles
E : produits des industries extractives
M : produits manufacturés

Chiffres exprimés en millions de dollars   Source : OMC

Alena (Accord de livre-échange nord-américain)

OCDE (Organisation de coopération et de développement économiques)

Caricom (Communauté des Caraïbes)

Pacte andin

Mercosur

Pays associés au Mercosur

MCCA (Marché commun Centre-américain)

APEC (Coopération économique Asie-Pacifique)

Opep (Organisation des pays exportateurs de pétrole)

Europe occidentale

Amérique du Nord

Moyen-Orient

Afrique

Amérique latine

42 000 / 15 % dont A : 22 470

61 000 / 19,1 % dont M : 50 370

145 000 / 52,1 % dont M : 94 600

3 000 / 1,1 % dont A : 2 290

2 900 / 0,9 % dont E : 2 310

3 000 / 1,2 % dont A : 2 060

4 500 / 1,4 % dont E : 2 790

279 000 5,3 %

319 000 5,8 %

57 000 / 20,5 % dont M : 32 740

61 500 / 19,3 %

Échelle à l'équateur
0   2 000 km

La déforestation

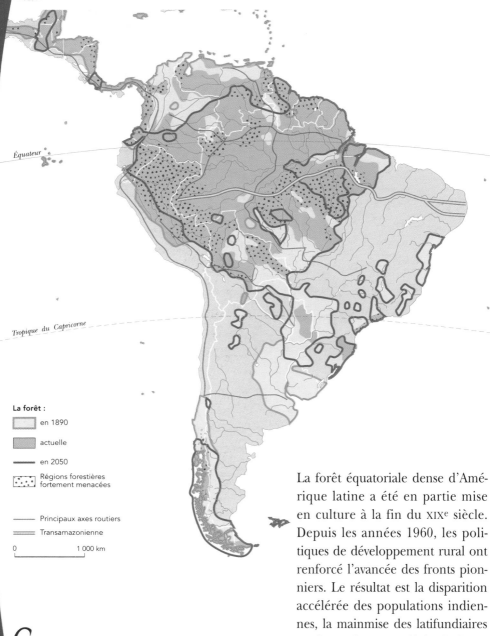

La forêt :

en 1890

actuelle

en 2050

Régions forestières
fortement menacées

Principaux axes routiers

Transamazonienne

0   1 000 km

Équateur

Tropique du Capricorne

Consulter...

Amazonie   Indiens
Amérique   Paraguay
Brésil

La forêt équatoriale dense d'Amérique latine a été en partie mise en culture à la fin du XIXᵉ siècle. Depuis les années 1960, les politiques de développement rural ont renforcé l'avancée des fronts pionniers. Le résultat est la disparition accélérée des populations indiennes, la mainmise des latifundiaires sur les petites propriétés ainsi que le recul de la forêt. Toutefois, le reboisement est entrepris au Paraguay et en Amazonie, et la forêt australe du Chili est en expansion.

Le trafic de la drogue

Production et trafic de la drogue

- Coca (cocaïne)
- Pavot (héroïne)
- Cannabis (marijuana, haschisch)
- Pays où sont pratiquées la production et la transformation de la drogue
- Blanchiment de l'argent
- Métropoles des mafias de la drogue («cartels»)
- Grands courants de trafic

ÉTATS-UNIS

Miami

BAHAMAS

MEXIQUE

vers les États-Unis

Mexico

CUBA
Caïmans (R.-U.)

RÉPUBLIQUE DOMINICAINE

HAÏTI

JAMAÏQUE

Porto Rico (É.-U.)

SAINT-KITTS-ET-NEVIS

vers l'Europe

BELIZE

HONDURAS

GUATEMALA

SALVADOR

NICARAGUA

Panamá

COSTA RICA

PANAMÁ

Cali

Medellín

Bogotá

COLOMBIE

Quito

ÉQUATEUR

vers les États-Unis

Curaçao

Caracas

VENEZUELA

TRINITÉ-ET-TOBAGO

Georgetown

GUYANA

SURINAM

Paramaribo

Guyane (Fr.)

vers l'Europe

B R É S I L

PÉROU

Lima

vers l'Asie

La Paz

BOLIVIE

Brasília

PARAGUAY

Asunción

Rio de Janeiro

São Paulo

CHILI

Santiago

URUGUAY

Montevideo

vers l'Europe

Buenos Aires

ARGENTINE

Revenu brut annuel par hectare
(en dollars/ha)

- Maïs
- Riz
- Bananes
- Café
- Oranges
- Thé
- Cacao
- Coca — Estimation : 3 200 à 6 400 $/ha

0   1 000   2 000   3 000   4 000   5 000   6 000   7 000

Échelle à l'équateur

0   500   1 000 km

La criminalité liée au trafic et au blanchiment de l'argent fait de la drogue un problème social majeur des pays producteurs de l'Amérique latine. Malgré des accords internationaux, l'éradication des cultures demandera beaucoup de patience, tant ce marché reste actif, avec un chiffre d'affaires estimé entre 100 et 200 milliards de dollars et environ 70 millions de consommateurs.

C ONSULTER...

Bolivie   Pérou

Colombie

Panamá

Europe

L'Europe dans le monde

Avec près de la moitié de la valeur des échanges et un poids deux fois plus important que celui de l'Amérique du Nord, l'Europe occidentale est la principale puissance commerciale mondiale. L'ancienneté du développement industriel et la constitution précoce du Marché commun européen ont contribué à cette suprématie. L'extension de l'Union européenne vers les pays du groupe de Visegrad accroîtra encore son influence au XXIe siècle. Par comparaison, les États de l'ex-URSS demeurent très faiblement insérés dans les échanges mondiaux. La rupture statistique de 1990 marque le passage d'une économie planifiée à une économie en transition vers le marché.

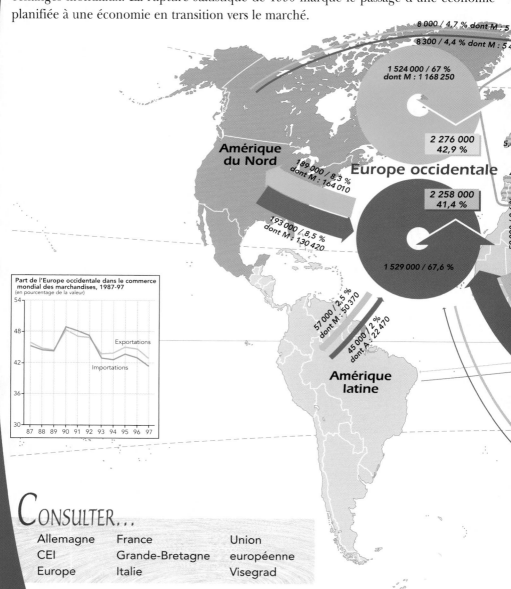

8 000 / 4,7 % dont M : 5 4...

8 300 / 4,4 % dont M : 5 43...

1 524 000 / 67 %
dont M : 1 168 250

2 276 000
42,9 %

5,6

Amérique du Nord

189 000 / 8,3 %
dont M : 164 010

Europe occidentale

4...

2 258 000
41,4 %

193 000 / 8,5 %
dont M : 130 420

59 000 / 2,6 %

1 529 000 / 67,6 %

Part de l'Europe occidentale dans le commerce mondial des marchandises, 1987-97
(en pourcentage de la valeur)

54
48
42
36
30
87 88 89 90 91 92 93 94 95 96 97

Exportations

Importations

57 000 / 2,5 %
dont M : 50 370

45 000 / 2 %
dont A : 22 470

Amérique latine

CONSULTER...

Allemagne   France   Union
CEI   Grande-Bretagne   européenne
Europe   Italie   Visegrad

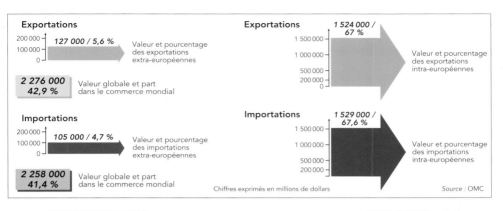

Exportations

200 000
100 000
0

127 000 / 5,6 % — Valeur et pourcentage des exportations extra-européennes

2 276 000 / 42,9 % — Valeur globale et part dans le commerce mondial

Importations

200 000
100 000
0

105 000 / 4,7 % → Valeur et pourcentage des importations extra-européennes

2 258 000 / 41,4 % — Valeur globale et part dans le commerce mondial

Exportations

1 500 000
1 000 000
500 000
200 000
0

1 524 000 / 67 % → Valeur et pourcentage des exportations intra-européennes

Importations

1 500 000
1 000 000
500 000
200 000
0

1 529 000 / 67,6 % → Valeur et pourcentage des importations intra-européennes

Chiffres exprimés en millions de dollars

Source : OMC

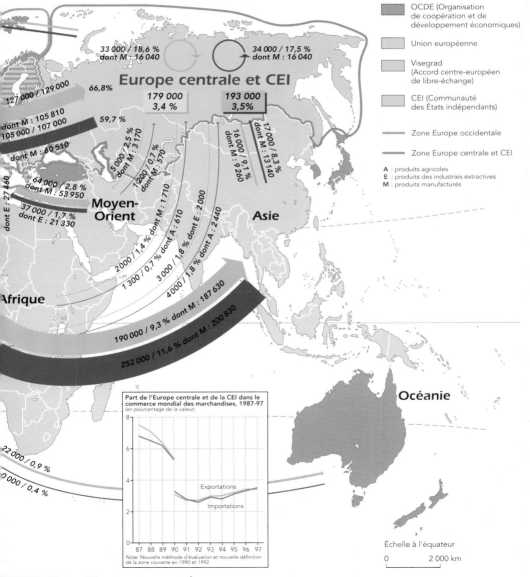

OCDE (Organisation de coopération et de développement économiques)

Union européenne

Visegrad (Accord centre-européen de libre-échange)

CEI (Communauté des États indépendants)

Zone Europe occidentale

Zone Europe centrale et CEI

A : produits agricoles
E : produits des industries extractives
M : produits manufacturés

33 000 / 18,6 % dont M : 16 040

34 000 / 17,5 % dont M : 16 040

Europe centrale et CEI

66,8%

179 000 3,4 %

193 000 3,5%

127 000 / 129 000

59,7 %

dont M : 105 810
105 000 / 107 000

dont M : 60 510

64 000 / 2,8 % dont M : 53 950

37 000 / 1,7 % dont E : 21 330

dont E : 27 460

5 000 / 2,5 % dont M : 3 170

1 200 / 0,7 % dont M : 570

17 000 / 8,3 % dont M : 13 140

16 000 / 9,1 % dont M : 9 260

Moyen-Orient

Asie

2 000 / 1,4 % dont M : 1 710

1 300 / 0,7 % dont A : 610

3 000 / 1,8 % dont E : 2 000

4 000 / 1,8 % dont A : 2 440

Afrique

190 000 / 9,3 % dont M : 187 630

252 000 / 11,6 % dont M : 200 830

Océanie

22 000 / 0,9 %

0 000 / 0,4 %

Part de l'Europe centrale et de la CEI dans le commerce mondial des marchandises, 1987-97
(en pourcentage de la valeur)

8

6

4

Exportations

2

Importations

0

87 88 89 90 91 92 93 94 95 96 97

Note: Nouvelle méthode d'évaluation et nouvelle définition de la zone couverte en 1990 et 1992.

Échelle à l'équateur

0   2 000 km

Densité de la population

La localisation de la population européenne s'explique plus par l'histoire que par la géographie. Certes les vallées fluviales (Rhin, Rhône, Pô, Danube, Elbe, Dniepr, Don, etc.) demeurent densément peuplées, tandis que les plateaux ou les montagnes apparaissent comme des pôles répulsifs. Toutefois, c'est l'activité économique, commerciale, industrielle ou portuaire qui a favorisé la concentration de la population le long des grands axes de développement : la Lotharingie, étendue du bassin de Londres au Latium, l'arc méditerranéen, les ports hanséatiques de la mer du Nord et de la Baltique. Au XXe siècle, le réseau des grandes agglomérations s'est considérablement développé, à mesure que l'urbanisation de l'Europe s'accélérait.

Densités de population
(habitants par km²)

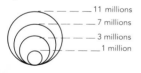

10 50 100 200

Agglomérations supérieures ou
égales à 1 million d'habitants :

— — — 11 millions
— — 7 millions
— 3 millions
— 1 million

1 Amsterdam
2 Rotterdam
3 Anvers
4 Düsseldorf
5 Cologne

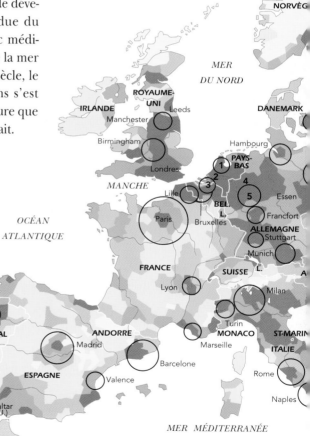

OCÉAN GLACIAL ARCT.

ISLANDE

NORVÈG

MER
DU NORD

ROYAUME-
UNI

Leeds

Manchester

Birmingham

Londres

IRLANDE

DANEMARK

Hambourg

PAYS-
BAS

1

2

3

4

5

Essen

Francfort

ALLEMAGNE
Stuttgart

Munich

MANCHE

Lille

BEL.
L.

Bruxelles

OCÉAN
ATLANTIQUE

Paris

FRANCE

SUISSE

L.

A

Lyon

Milan

Porto

PORTUGAL

Madrid

ANDORRE

Turin

MONACO

ST-MARIN

Marseille

ITALIE

Lisbonne

ESPAGNE

Barcelone

Rome

Valence

Naples

Gibraltar
(R.-U.)

MER MÉDITERRANÉE

MALTE

Consulter...

Allemagne   Grande-Bretagne
Espagne   Italie
France

Cartes Population
La densité de la population
La croissance des villes

FINLANDE

RUSSIE

Iekaterinbourg

Perm

Tcheliabinsk

Saint-Pétersbourg

Oufa

Kazan

holm

Moscou

Nijni-
Novgorod

Samara

ESTONIE

MER
BALTIQUE

LETTONIE

Saratov

RUSSIE

LITUANIE

ue

KAZAKHSTAN

Minsk

Volgograd

POLOGNE

BIÉLORUSSIE

Varsovie

Lódz

atowice

Kiev

Kharkiv

Donetsk

ue

UKRAINE

Rostov

MER

SLOVAQUIE

Dnipropetrovsk

CASPIENNE

MOLDAVIE

HONGRIE

ROUMANIE

TURKMÉNISTAN

Budapest

Odessa

Bucarest

Bakou

ATIE

GÉORGIE

Tbilissi

AZERBAÏDJAN

OSNIE-
OVINE

Belgrade

R. F. Y.

MER NOIRE

ARMÉNIE

Erevan

BULGARIE

Istanbul

Tabriz

MACÉDOINE

Sofia

Téhéran

ALBANIE

Ankara

IRAK

IRAN

GRÈCE

TURQUIE

Izmir

MER
ÉGÉE

Bagdad

Athènes

Alep

CHYPRE

SYRIE

0   250   500 km

Poids et dynamique de la population

Les comportements démographiques traduisent, mieux que les discours politiques, l'identité européenne. La pyramide des âges révèle les classes creuses identiques des deux guerres mondiales (dues à la surmortalité masculine durant les conflits), et de la crise des années 1930, le « baby boom » de l'après-guerre, enfin le recul des naissances depuis 1965. Malgré l'allongement de la durée de la vie, la croissance démographique s'est fortement ralentie en Europe, en raison de la chute de la natalité, même si certains pays de l'Est demeurent un peu plus féconds, tandis que chaque année plus de 400 000 immigrants arrivent d'Asie et d'Afrique. Depuis 1989, plus de 500 000 personnes d'Europe centrale et orientale sont venues s'installer à l'Ouest. La libre circulation des personnes facilite les échanges internes.

CONSULTER...

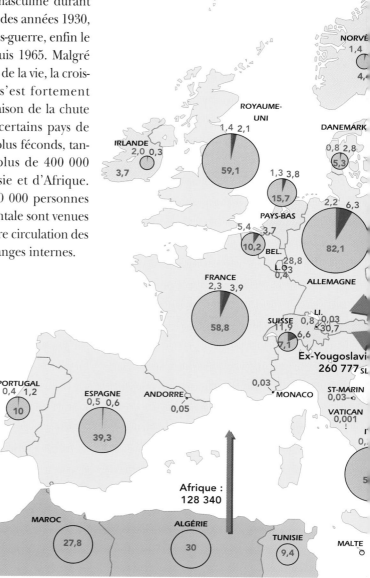

ISLANDE
0,9 0,9
0,3

NORVÈ
1,4
4,

ROYAUME-
UNI
1,4 2,1
59,1

DANEMARK
0,8 2,8
5,3

IRLANDE
2,0 0,3
3,7

1,3 3,8
15,7

PAYS-BAS
5,4 3,7
10,2
BEL.

2,2 6,3
82,1

28,8
L. 0,3
0,4

FRANCE
2,3 3,9
58,8

ALLEMAGNE

LI.
SUISSE 0,8 0,03
11,9 30,7
7,1 6,6

Ex-Yougoslavi
260 777 SL

0,03

MONACO

ST-MARIN
0,03

VATICAN
0,001

PORTUGAL
0,4 1,2
10

ESPAGNE
0,5 0,6
39,3

ANDORRE
0,05

Afrique :
128 340

MAROC
27,8

ALGÉRIE
30

TUNISIE
9,4

MALTE

Taux de croissance annuel moyen
de la population en pourcentage
(1990-1998)

0   0,5   1   2

Flux migratoires en 1996
(sauf ex-Yougoslavie, 1994)

Afrique : 128 340

Population totale
par État en 1998

─── 100 000 000

─── 50 000 000

─── 10 000 000

─── 1 000 000

15,5   Population totale
du pays en millions
d'habitants

**Pourcentage d'étrangers
dans les pays d'Europe occidentale**

Citoyens
de l'Union
européenne   2,3 | 3,9   Citoyens
n'appartenant pas
à l'Union
européenne

Source : Banque mondiale,
World Development Report, 1999-2000

**La pyramide des âges de la population,
Europe des 15 au 1er janvier 1996**

Année de naissance   Âge   Année de naissance
1895   100   1895
1905   90   1905
1915 Hommes   80 Femmes 1915
1925   70   1925
1935   60   1935
1945   50   1945
1955   40   1955
1965   30   1965
1975   20   1975
1985   10   1985
1995   0   1995

1 0,8 0,6 0,4 0,2 0   0 0,2 0,4 0,6 0,8 1
En pourcentage de la population totale

Source : INED, 25-08-97

ÈDE

FINLANDE

0,2 0,8

5,2

3,7

,9

ESTONIE
○ **1,4**

LETTONIE
2,4

LITUANIE
3,7

RUSSIE

BIÉLORUSSIE
10,3

RUSSIE

147

KAZAKHSTAN

15,7

LOGNE

38,7

**Europe centrale et
orientale : 263 240**

50,3   **UKRAINE**

HE (**5,4**)

SLOVAQUIE
10,1

MOLDAVIE
4,3

HONGRIE

ROUMANIE

22,5

OATIE

**BOSNIE-
ÉGOVINE**
3,5

R.F.Y.

○
0,6

MACÉDOINE
○ **2,1**

ALBANIE
3,5

0,4 1

10,5   **GRÈCE**

10,8

BULGARIE

8,5

5,4 **GÉORGIE**

3,8   **AZERBAÏDJAN**
ARMÉNIE   ○

7,9

Asie : 203 325

TURQUIE

63,5

61,9

**Turquie :
85 164**

IRAK

21,2

IRAN

SYRIE

15,3

0,8   4,2
CHYPRE   **LIBAN**   ○

250   500 km

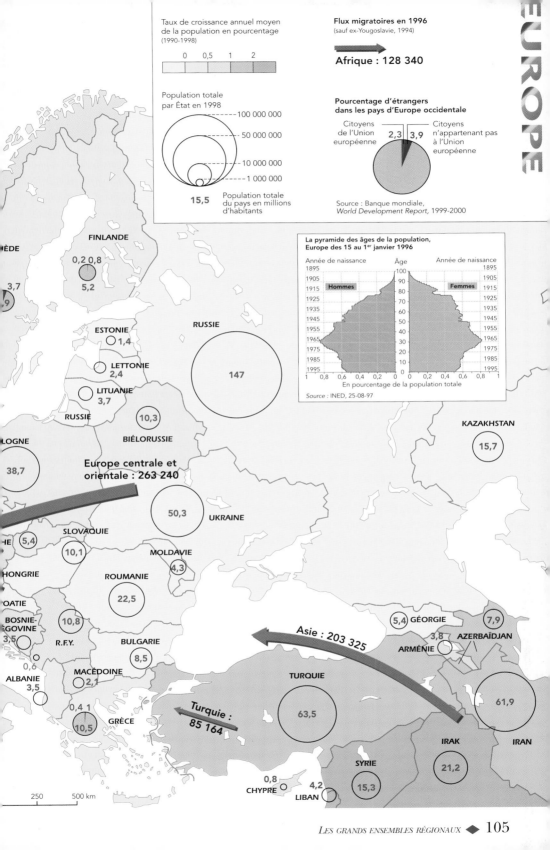

États, nations et régions en Europe

Organisation des pouvoirs

- États fédéraux
- États décentralisés ou en voie de décentralisation
- États centralisés

Nationalisme

- Revendications nationalistes
- Revendications nationalistes s'accompagnant d'actes de terrorisme

États-nations

1871-1990 — Dates de constitution de l'État-nation (unité nationale fondée sur une organisation étatique et l'accession à l'indépendance)

Fonction publique

- Pays où la proportion de fonctionnaires dans la population active est supérieure à 20 %

ISLANDE 1918/1944

SUÈDE 1523

NORVÈGE 1814-1905

FINLANDE 1917

Écosse

Irlande du Nord

IRLANDE 1921

ROYAUME-UNI 1650-1707

DANEMARK 1537

ESTONIE 1919-1991

RUSSIE 1533-1613

LETTONIE 1919-1991

LITUANIE 1919-1991

RUSSIE

BIÉLORUSSIE 1991

PAYS-BAS 1609

Flandre

BELGIQUE 1830

L. 1867

ALLEMAGNE 1871-1990

POLOGNE 1918

RÉP. TCH. 1993

UKRAINE 1991

FRANCE 1461-1483

SUISSE 1291-1648

LI. 1719

AUTRICHE 1867-1919

SLOVAQUIE 1993

HONGRIE 1867-1919

MOLDAVIE 1991

Pays basque

Padanie

SLOVÉNIE 1991

CROATIE 1991

ROUMANIE 1859

PORTUGAL 1252

ESPAGNE 1492

Catalogne

Corse

ITALIE 1861-1870

BOSNIE-HERZÉGOVINE 1991

R. F. Y. 1878

Monténégro

Kosovo

BULGARIE 1878

MACÉDOINE 1991

ALBANIE 1912

GRÈCE 1830

TURQUIE 1923

0 — 250 — 500 km

CONSULTER...

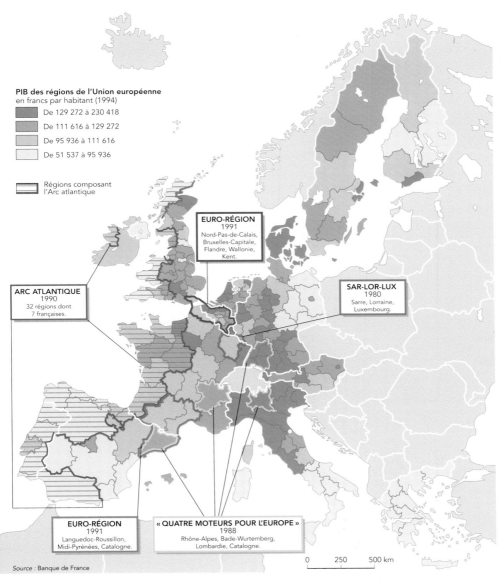

PIB des régions de l'Union européenne
en francs par habitant (1994)

- De 129 272 à 230 418
- De 111 616 à 129 272
- De 95 936 à 111 616
- De 51 537 à 95 936

Régions composant
l'Arc atlantique

EURO-RÉGION
1991
Nord-Pas-de-Calais,
Bruxelles-Capitale,
Flandre, Wallonie,
Kent.

SAR-LOR-LUX
1980
Sarre, Lorraine,
Luxembourg.

ARC ATLANTIQUE
1990
32 régions dont
7 françaises.

EURO-RÉGION
1991
Languedoc-Roussillon,
Midi-Pyrénées, Catalogne.

« QUATRE MOTEURS POUR L'EUROPE »
1988
Rhône-Alpes, Bade-Wurtemberg,
Lombardie, Catalogne.

0   250   500 km

Source : Banque de France

Les nations de la façade atlantique (Portugal, Espagne et France) se sont constituées très tôt, alors que l'Allemagne et l'Italie ont dû attendre le XIXᵉ siècle et l'Europe orientale, le XXᵉ siècle avec l'effondrement des empires turc et russe. La volonté décentralisatrice, qui progresse avec l'idée fédérale européenne, se heurte dans plusieurs États à des revendications nationalistes. L'Union européenne tente de lutter contre les inégalités régionales entre le « Croissant fertile », de Londres à Rome, et les zones périphériques, la richesse variant de un à quatre. Mais seules les deux « Euro-régions », constituées autour d'entités économiques complémentaires et de réseaux de communication modernes, semblent avoir une capacité d'initiative à fort potentiel.

Euro et Schengen

L'Union européenne progresse depuis plus de quarante ans en s'approfondissant et en s'élargissant. Toutefois, les États membres n'adoptent pas un rythme uniforme. Autour du noyau central des neuf pays ayant à la fois ratifié la convention de Schengen sur la libre circulation des personnes à l'intérieur de l'espace européen et adopté l'euro comme monnaie commune au 1er janvier 1999, gravitent les six pays de l'UE qui n'acceptent encore qu'une partie des institutions communes. Les négociations en vue de l'adhésion de la Pologne, de la Hongrie, de la République tchèque, de la Slovénie et de l'Estonie, permettront leur intégration à court terme. La Lettonie, la Lituanie et la Slovaquie suivront sans doute. Ensuite, l'Union est plus réticente à intégrer des États marqués par les religions orthodoxe ou musulmane, qui définissent une fracture culturelle majeure en Europe.

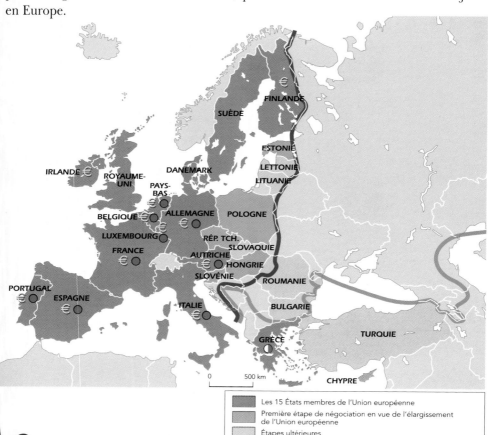

Les 15 États membres de l'Union européenne

Première étape de négociation en vue de l'élargissement de l'Union européenne

Étapes ultérieures

Pays membres de la zone euro

Pays signataires appliquant les accords de Schengen

Pays signataire n'appliquant pas les accords de Schengen

Limite des sociétés civiles marquées par la religion orthodoxe

Limite des sociétés civiles marquées par l'islam

Consulter...

Europe   Union
Maastricht   européenne
Schengen

La pollution

À la pollution des rivières et des nappes phréatiques par les pesticides, les engrais et le lisier, s'ajoute dans les zones industrielles et urbaines, le rejet dans les cours d'eau et dans l'atmosphère, de polluants variés. En cas de pics de pollution, le gouvernement prend des mesures restrictives. La création de parcs naturels nationaux et régionaux ne concerne que des zones en déclin économique et démographique.

Consulter...

Cévennes	Morvan
France	Vanoise
Mercantour	Vercors

Zone urbaine et périurbaine

Parc national

Zone périphérique

Parc naturel régional

Polluants atmosphériques :

Cd   Cadmium > 2 kg/j

Cl   Chlore > 6000 kg/j

Hg   Mercure > 2 kg/j

MVC   Monochlorure de vinyle > 2000 kg/j

Ph   Phénols > 200 kg/j

Pb   Plomb > 20 kg/j

Zn   Zinc > kg/j

Rejets radioactifs > 20 TBq/j

La France
l'aménagement du territoire

Après avoir, en 1963, créé avec la DATAR (Délégation à l'aménagement du territoire et l'action régionale) des métropoles d'équilibre et des villes nouvelles, l'État a tenté de donner naissance à des pôles de conversion pour faire face à la désindustrialisation, tandis que l'Union européenne aidait nombre de régions françaises. La politique récente vise à resserrer les liens entre les régions et avec les partenaires européens.

CONSULTER...

Cergy   Marne-la-Vallée
Évry
France

Politiques d'aménagement de l'Union européenne

- Régions en «retard de développement» en cours d'adaptation économique
- Zones en déclin industriel, en reconversion économique
- Zones rurales fragiles, en diversification économique
- Aucune aide européenne

Politiques françaises d'aménagement du territoire

- Caen Limites et capitales régionales
- ● Métropoles d'équilibre (1964) et «satellites»
- ◆ Villes nouvelles (Loi Boscher 1970)
- ★ Pôles de conversion (1984)

Schémas directeurs de transport

- —— Schéma directeur routier et autoroutier (1995)
- —— Schéma directeur ferroviaire à grande vitesse (1992)

La France
L'évolution démographique et sociale

**Dynamique
de la population**

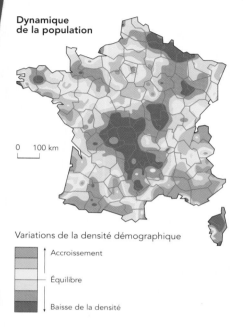

0   100 km

Variations de la densité démographique

Accroissement

Équilibre

Baisse de la densité

Les immigrés

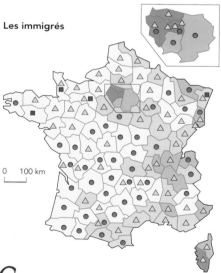

0   100 km

**Âge médian
de la population**

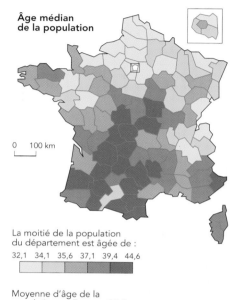

0   100 km

La moitié de la population
du département est âgée de :
32,1 34,1 35,6 37,1 39,4 44,6

Moyenne d'âge de la
population en France : 35,5 ans

Répartition de la population étrangère
(en % de la population totale, en 1990)
0   5   7,5   10   15

Nationalité majoritaire des immigrés,
par département
△ Maghrébins   ● Européens du Sud
(Espagnols, Portugais, Italiens)   ■ Turcs

La France en expansion du Bassin parisien, de l'Ouest atlantique, du Midi, des Alpes et de l'Est s'oppose à la France en déclin du Massif central, des Pyrénées, de la Lorraine et du Nord au tissu industriel obsolète. « Croissant fertile » de Nantes à Lyon, la France féconde demeure peuplée de jeunes, face à la France de la retraite du Sud et du Centre. La France de l'immigration recoupe les zones d'industrialisation de l'époque de la croissance économique. Superposées, ces trois cartes se recoupent, dessinant une France dynamique, ouverte sur ses partenaires européens.

CONSULTER...

France
Articles concernant
les 22 régions administratives

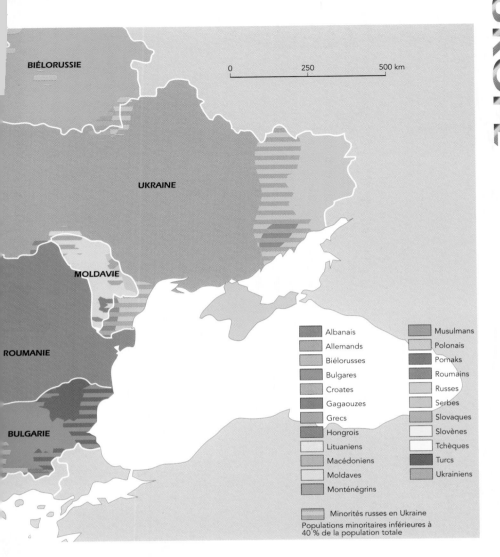

La « poudrière des Balkans », comme l'appelaient au début du XXe siècle les diplomates occidentaux , est au confluent de trois influences et de trois empires qui ont dominé la région au XIXe siècle : le catholicisme, l'orthodoxie et l'islam, d'une part, les empires austro-hongrois, russe et turc, d'autre part. Il reste de cette histoire heurtée des minorités dispersées dans plusieurs États : Hongrois en Roumanie, Slovaquie, Ukraine et Yougoslavie, Albanais au Kosovo et en Macédoine, Grecs en Albanie, Turcs en Bulgarie, etc.

CONSULTER...

Les minorités en Europe centrale et orientale

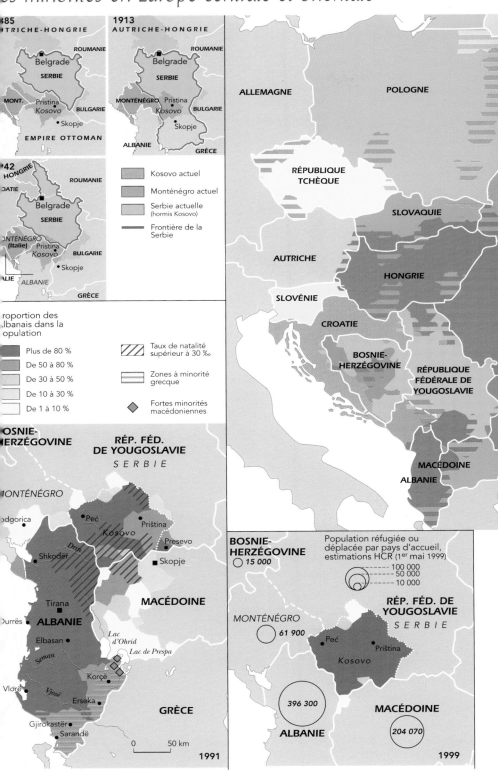

Le bassin méditerranéen
Flux économiques et migratoires

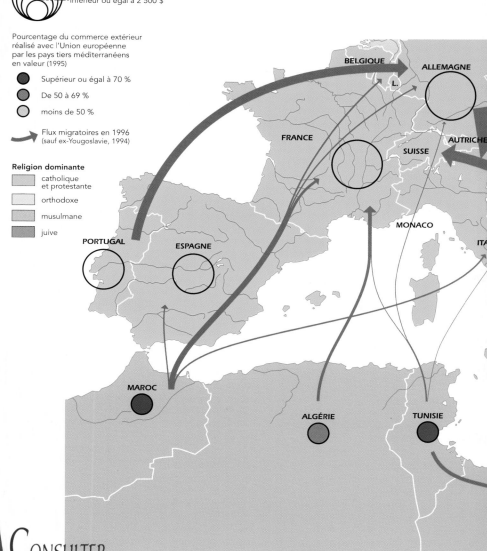

PIB par habitant
par an en dollars (1995)

- plus de 20 000 $
- de 10 000 à 20 000 $
- de 7 000 à 10 000 $
- inférieur ou égal à 2 500 $

Pourcentage du commerce extérieur
réalisé avec l'Union européenne
par les pays tiers méditerranéens
en valeur (1995)

- Supérieur ou égal à 70 %
- De 50 à 69 %
- moins de 50 %

Flux migratoires en 1996
(sauf ex-Yougoslavie, 1994)

Religion dominante
- catholique et protestante
- orthodoxe
- musulmane
- juive

PORTUGAL

ESPAGNE

MAROC

ALGÉRIE

TUNISIE

BELGIQUE

L.

ALLEMAGNE

FRANCE

SUISSE

AUTRICHE

MONACO

ITA

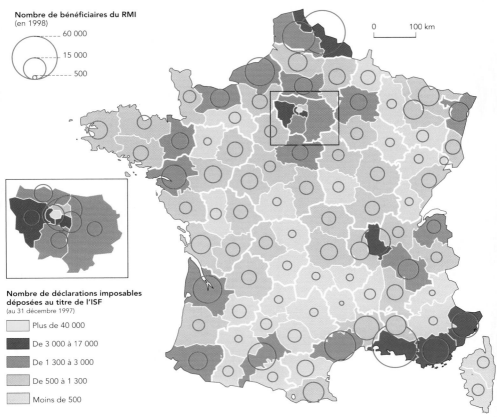

Nombre de bénéficiaires du RMI
(en 1998)

60 000

15 000

500

0   100 km

**Nombre de déclarations imposables
déposées au titre de l'ISF**
(au 31 décembre 1997)

Plus de 40 000

De 3 000 à 17 000

De 1 300 à 3 000

De 500 à 1 300

Moins de 500

Inégalités et solidarité

La carte montrant les bénéficiaires du RMI (instauré en novembre 1988) et les déclarants à l'ISF (impôt sur la fortune) fait apparaître que riches et pauvres vivent dans les mêmes régions, à défaut de fréquenter les mêmes quartiers. Ils sont en effet présents là où l'activité économique reste vive et crée des richesses en attirant des populations fragiles en quête d'insertion. Le chômage est réparti de manière relativement homogène, même si les régions en mutation (Nord, Sud-Est, Ouest) connaissent un taux plus élevé.

**Le taux
de chômage**

NORD-PAS-DE-CALAIS

HAUTE-NORMANDIE   PICARDIE

BASSE-NORMANDIE   ILE-DE-FRANCE   CHAMPAGNE-ARDENNE   LORRAINE   ALSACE

BRETAGNE

PAYS-DE-LA-LOIRE   CENTRE   BOURGOGNE   FRANCHE-COMTÉ

POITOU-CHARENTES   AUVERGNE   RHÔNE-ALPES

LIMOUSIN

AQUITAINE   MIDI-PYRÉNÉES   PROVENCE-ALPES-CÔTE D'AZUR

LANGUEDOC-ROUSSILLON   CORSE

0   100 km

Taux de chômage par région
(en % de la population active, en 1999)

10   11,75   14

CONSULTER...

France
Haute-Normandie
Ile-de-France

Languedoc-Roussillon
Nord-Pas-de-Calais
Provence-Alpes-Côte d'Azur

La Belgique

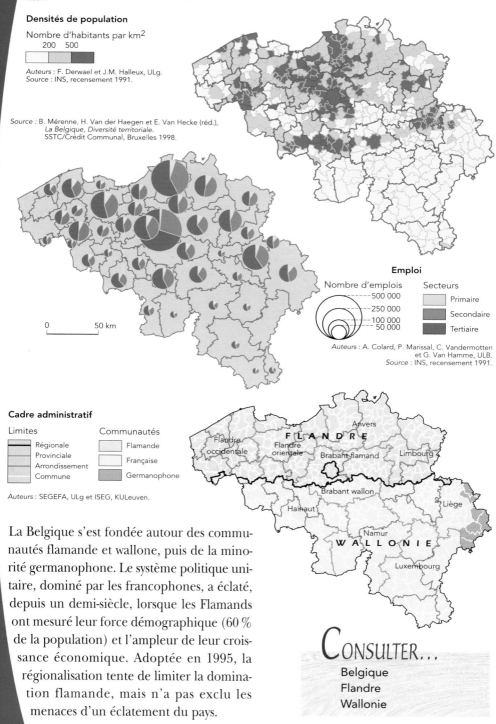

Densités de population

Nombre d'habitants par km²

200   500

Auteurs : F. Derwael et J.M. Halleux, ULg.
Source : INS, recensement 1991.

Source : B. Mérenne, H. Van der Haegen et E. Van Hecke (réd.),
La Belgique, Diversité territoriale.
SSTC/Crédit Communal, Bruxelles 1998.

0   50 km

Emploi

Nombre d'emplois
- - - - - 500 000
- - - - 250 000
- - - 100 000
- 50 000

Secteurs

Primaire

Secondaire

Tertiaire

Auteurs : A. Colard, P. Marissal, C. Vandermotten
et G. Van Hamme, ULB.
Source : INS, recensement 1991.

Cadre administratif

Limites
- Régionale
- Provinciale
- Arrondissement
- Commune

Communautés
- Flamande
- Française
- Germanophone

Auteurs : SEGEFA, ULg et ISEG, KULeuven.

FLANDRE occidentale · Flandre orientale · FLANDRE · Anvers · Brabant flamand · Limbourg · Brabant wallon · Liège · Hainaut · Namur · WALLONIE · Luxembourg

La Belgique s'est fondée autour des communautés flamande et wallone, puis de la minorité germanophone. Le système politique unitaire, dominé par les francophones, a éclaté, depuis un demi-siècle, lorsque les Flamands ont mesuré leur force démographique (60 % de la population) et l'ampleur de leur croissance économique. Adoptée en 1995, la régionalisation tente de limiter la domination flamande, mais n'a pas exclu les menaces d'un éclatement du pays.

CONSULTER...

Belgique
Flandre
Wallonie

La Suisse

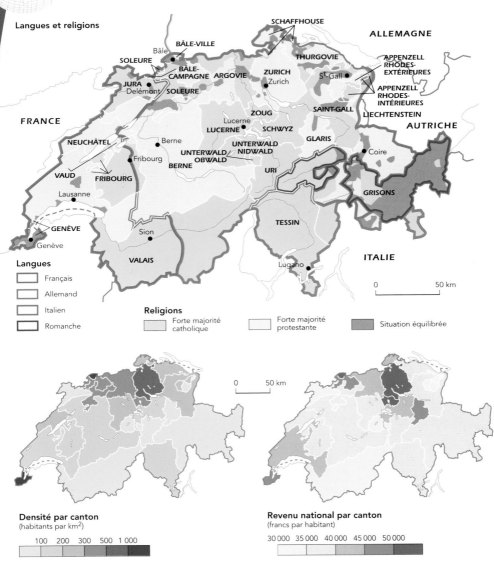

Langues et religions

SCHAFFHOUSE

ALLEMAGNE

BÂLE-VILLE

Bâle

SOLEURE

THURGOVIE

APPENZELL
RHODES-
EXTÉRIEURES

BÂLE-
CAMPAGNE

ARGOVIE

ZURICH

Zurich

St-Gall

APPENZELL
RHODES-
INTÉRIEURES

JURA

Delémont

SOLEURE

SAINT-GALL

LIECHTENSTEIN

ZOUG

LUCERNE

Lucerne

SCHWYZ

GLARIS

AUTRICHE

FRANCE

NEUCHÂTEL

Berne

UNTERWALD
NIDWALD

Coire

Fribourg

UNTERWALD
OBWALD

VAUD

FRIBOURG

BERNE

URI

GRISONS

Lausanne

GENÈVE

Sion

TESSIN

Genève

VALAIS

ITALIE

Lugano

Langues

0   50 km

Français

Allemand

Religions

Italien

Romanche

Forte majorité
catholique

Forte majorité
protestante

Situation équilibrée

0   50 km

Densité par canton
(habitants par km^2)

100   200   300   500 1 000

Revenu national par canton
(francs par habitant)

30 000 35 000 40 000 45 000 50 000

CONSULTER...

Suisse
Articles concernant
les vingt six cantons

Avec quatre langues, deux religions et le quart de la population active constituée d'étrangers, la Suisse aurait pu connaître des conflits internes. Mais il n'en a rien été grâce à un neutralisme et un fédéralisme anciens et une économie intense, jadis agricole et artisanale, qui a construit une industrie forte et des services performants. Toutefois, des inégalités persistent entre les cantons les plus riches (Zurich, Genève, Bâle) et ceux demeurant plus traditionnels (Valais, Jura).

Le Royaume-Uni
Les disparités économiques régionales

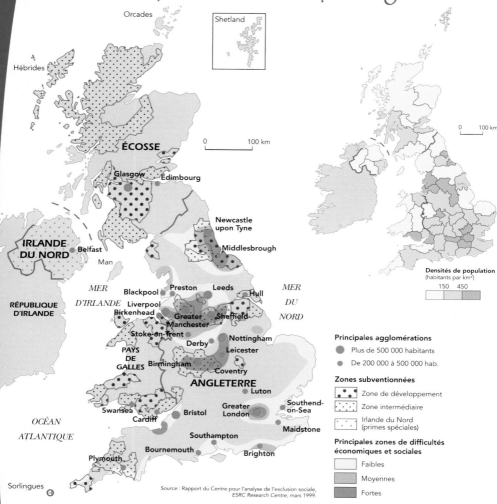

Orcades

Shetland

Hébrides

ÉCOSSE

Glasgow
Édimbourg

0   100 km

Newcastle
upon Tyne

Middlesbrough

IRLANDE
DU NORD   Belfast

Man

MER
D'IRLANDE   Blackpool   Preston   Leeds   MER
DU
NORD

RÉPUBLIQUE
D'IRLANDE   Liverpool   Hull
Birkenhead

Greater   Sheffield
Manchester

Stoke-on-Trent
Derby   Nottingham
Leicester

PAYS
DE   Birmingham
GALLES

Coventry

ANGLETERRE
Luton

Swansea   Greater   Southend-
Cardiff   Bristol   London   on-Sea

OCÉAN   Maidstone

ATLANTIQUE   Southampton

Bournemouth   Brighton

Plymouth

Sorlingues

Source : Rapport du Centre pour l'analyse de l'exclusion sociale,
ESRC Research Centre, mars 1999.

0   100 km

Densités de population
(habitants par km²)

150   450

Principales agglomérations

Plus de 500 000 habitants

De 200 000 à 500 000 hab.

Zones subventionnées

Zone de développement

Zone intermédiaire

Irlande du Nord
(primes spéciales)

**Principales zones de difficultés
économiques et sociales**

Faibles

Moyennes

Fortes

Depuis vingt ans, l'évolution du Royaume-Uni vers une économie de services s'est accélérée. De plus en plus prépondérants, ils sont à l'origine d'une croissance très vive, mais les lacunes de l'adaptation anglaise marquent le pays : les régions industrielles des Midlands (Birmingham), de la Merseyside (Liverpool-Manchester) ou de la Tyneside (Newcastle) demeurent en conversion permanente, et le quart de la population britannique vit avec un revenu inférieur au seuil de pauvreté.

CONSULTER...

Birmingham   Manchester
Grande-Bretagne   Merseyside
Liverpool

L'Allemagne
L'inégale puissance des Länder

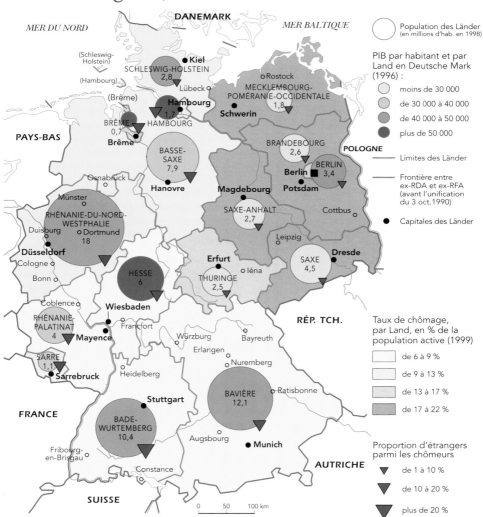

DANEMARK

MER DU NORD

MER BALTIQUE

Population des Länder
(en millions d'hab. en 1998)

PIB par habitant et par
Land en Deutsche Mark
(1996) :

- moins de 30 000
- de 30 000 à 40 000
- de 40 000 à 50 000
- plus de 50 000

Limites des Länder

Frontière entre
ex-RDA et ex-RFA
(avant l'unification
du 3 oct.1990)

● Capitales des Länder

(Schleswig-Holstein)
● Kiel
SCHLESWIG-HOLSTEIN
2,8
Lübeck ○

(Hambourg)
● Rostock
MECKLEMBOURG-
POMÉRANIE-OCCIDENTALE
1,8
● Schwerin

(Brême)
Hambourg
1,7
HAMBOURG

BRÊME
0,7
Brême

PAYS-BAS

BASSE-
SAXE
7,9
● **Hanovre**

BRANDEBOURG
2,6

POLOGNE

Berlin ● BERLIN 3,4

○ Osnabrück

Magdebourg ● **Potsdam**

Münster ○

RHÉNANIE-DU-NORD-
WESTPHALIE
Duisburg ○ ○ Dortmund
18

SAXE-ANHALT
2,7

Cottbus ○

Düsseldorf
○ Cologne

Leipzig ○

Bonn ○

Erfurt
○ Iéna

SAXE
4,5

Dresde

HESSE
6

THURINGE
2,5

Coblence ○

Wiesbaden

RHÉNANIE-
PALATINAT
4
Mayence

○ Francfort

Würzburg ○

RÉP. TCH.

Bayreuth ○

SARRE
1,1
Sarrebruck

Erlangen ○

○ Heidelberg

○ Nuremberg

FRANCE

Stuttgart

BAVIÈRE
12,1

○ Ratisbonne

BADE-
WURTEMBERG
10,4

Augsbourg ○

Fribourg-
en-Brisgau ○

● **Munich**

○ Constance

AUTRICHE

Taux de chômage,
par Land, en % de la
population active (1999)

- de 6 à 9 %
- de 9 à 13 %
- de 13 à 17 %
- de 17 à 22 %

Proportion d'étrangers
parmi les chômeurs

▼ de 1 à 10 %

▼ de 10 à 20 %

▼ plus de 20 %

SUISSE

0   50   100 km

En dépit des difficultés de la réunification, l'Allemagne reste la première puissance continentale. Les différences demeurent importantes entre les régions plus riches (Hesse, Bavière, Bade-Wurtemberg) et l'ex-Allemagne de l'Est dont le taux de chômage est deux fois plus élevé. En revanche, le taux d'étrangers parmi les chômeurs est plus fort à l'Ouest,

parce que l'immigration, beaucoup plus ancienne, a joué un rôle d'amortisseur de la crise, qu'elle n'a pu avoir à l'Est.

Consulter...

Allemagne
Articles concernant
les seize Länder

Europe centrale et orientale

L'évolution de la Yougoslavie

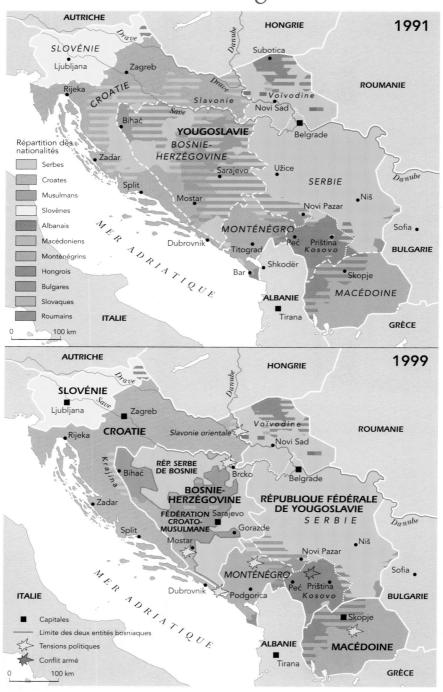

1991

AUTRICHE — HONGRIE — ROUMANIE — ITALIE — GRÈCE — BULGARIE — ALBANIE

SLOVÉNIE
Ljubljana
Zagreb
Rijeka
CROATIE
Drave
Slavonie
Save
Bihać
YOUGOSLAVIE
BOSNIE-HERZÉGOVINE
Voïvodine
Novi Sad
Belgrade
Zadar
Sarajevo
Užice
SERBIE
Split
Mostar
Novi Pazar
Niš
MONTÉNÉGRO
Dubrovnik
Titograd
Peć
Priština
Kosovo
Bar
Shkodër
Skopje
Sofia
BULGARIE
MACÉDOINE
ALBANIE
Tirana
Danube

Répartition des nationalités
- Serbes
- Croates
- Musulmans
- Slovènes
- Albanais
- Macédoniens
- Monténégrins
- Hongrois
- Bulgares
- Slovaques
- Roumains

MER ADRIATIQUE

0   100 km

Subotica

1999

AUTRICHE — HONGRIE — ROUMANIE — ITALIE — GRÈCE — BULGARIE — ALBANIE

SLOVÉNIE
Ljubljana
Zagreb
Rijeka
CROATIE
Drave
Save
Krajina
Bihać
RÉP. SERBE DE BOSNIE
Brcko
Slavonie orientale
Voïvodine
Novi Sad
Belgrade
BOSNIE-HERZÉGOVINE
FÉDÉRATION CROATO-MUSULMANE
Sarajevo
Gorazde
RÉPUBLIQUE FÉDÉRALE DE YOUGOSLAVIE
SERBIE
Zadar
Split
Mostar
Novi Pazar
Niš
MONTÉNÉGRO
Dubrovnik
Podgorica
Peć
Priština
Kosovo
Sofia
BULGARIE
Skopje
MACÉDOINE
ALBANIE
Tirana
Danube

MER ADRIATIQUE

- ■ Capitales
- — Limite des deux entités bosniaques
- ☆ Tensions politiques
- ★ Conflit armé

0   100 km

La Méditerranée est devenue au XXe siècle l'interface entre le monde riche et développé et le monde en voie de développement. La frontière invisible entre riches et pauvres s'est progressivement déplacée vers le Sud : l'Italie et l'Espagne, dont les populations naguère encore migraient vers le Nord de l'Europe sont devenues des pays d'accueil. Les Portugais et les Grecs à leur tour cessent d'émigrer, tandis que les Turcs, en élevant leur niveau de vie, ralentissent les départs. Toutefois, l'instabilité dans les Balkans menace de retarder durablement le lent processus d'intégration du Sud de l'Europe.

Russie
et ex-URSS

Caucase et Caspienne
Les gisements pétroliers

Cinq États se partagent les champs pétrolifères des rivages de la mer Caspienne : Russie, Azerbaïdjan, Kazakhstan, Turkménistan et Iran. Pour transporter la production d'hydrocarbures vers les pays développés, en contournant la zone à risques de l'Irak et du golfe Persique, les États et les compagnies pétrolières occidentales projettent de construire des oléoducs à travers le Caucase et la Russie vers la Méditerranée ou la mer Noire, vers la Chine à travers les steppes d'Asie centrale ou encore vers le Pakistan à travers l'Afghanistan. La réalisation de chacun de ces projets se heurte à des difficultés techniques, pour franchir des montagnes ou des déserts, et politiques, pour traverser des zones de guerre civile endémique (Kurdistan, Caucase, Afghanistan). La perspective des profits de l'or noir rend la solution des conflits encore plus ardue.

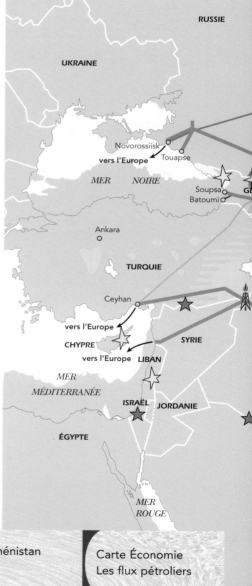

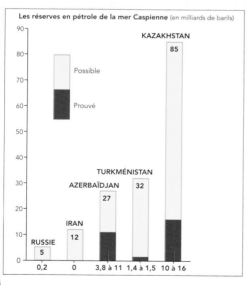

Les réserves en pétrole de la mer Caspienne (en milliards de barils)

Possible
Prouvé

KAZAKHSTAN 85
TURKMÉNISTAN 32
AZERBAÏDJAN 27
IRAN 12
RUSSIE 5

0,2   0   3,8 à 11   1,4 à 1,5   10 à 16

Consulter...

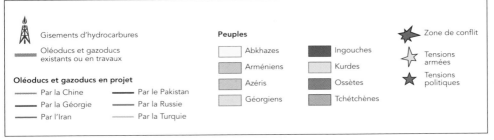

Légende :

Gisements d'hydrocarbures

Oléoducs et gazoducs existants ou en travaux

Oléoducs et gazoducs en projet
- Par la Chine
- Par la Géorgie
- Par l'Iran
- Par le Pakistan
- Par la Russie
- Par la Turquie

Peuples
- Abkhazes
- Arméniens
- Azéris
- Géorgiens
- Ingouches
- Kurdes
- Ossètes
- Tchétchènes

Zone de conflit

Tensions armées

Tensions politiques

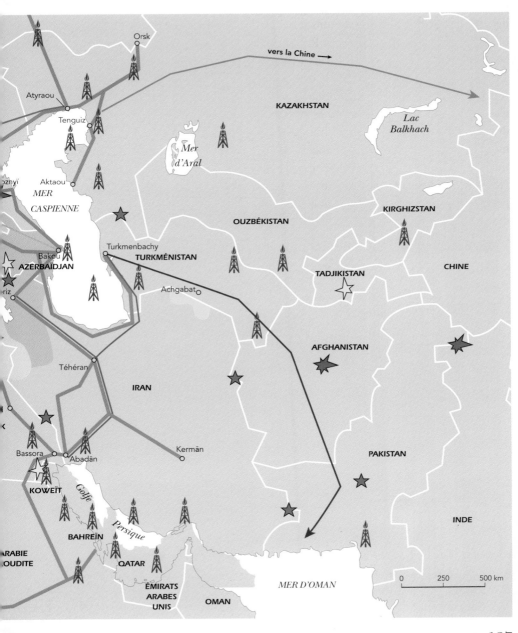

Peuplement de la Russie et de l'ex-URSS

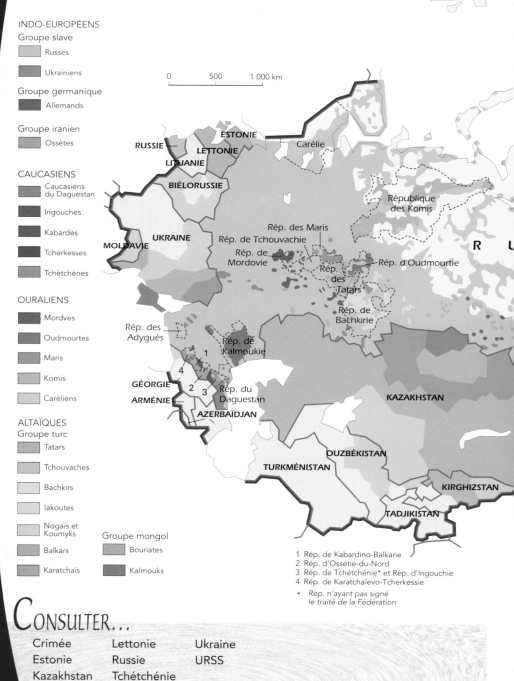

INDO-EUROPÉENS

Groupe slave
- Russes
- Ukrainiens

Groupe germanique
- Allemands

Groupe iranien
- Ossètes

CAUCASIENS
- Caucasiens du Daguestan
- Ingouches
- Kabardes
- Tcherkesses
- Tchétchènes

OURALIENS
- Mordves
- Oudmourtes
- Maris
- Komis
- Caréliens

ALTAÏQUES

Groupe turc
- Tatars
- Tchouvaches
- Bachkirs
- Iakoutes
- Nogaïs et Koumyks
- Balkars
- Karatchaïs

Groupe mongol
- Bouriates
- Kalmouks

0   500   1 000 km

RUSSIE
ESTONIE
LETTONIE
LITUANIE
BIÉLORUSSIE
Carélie
UKRAINE
MOLDAVIE
République des Komis
Rép. des Maris
Rép. de Tchouvachie
Rép. de Mordovie
Rép. d'Oudmourtie
Rép. des Tatars*
Rép. de Bachkirie
R   U
Rép. des Adygués
Rép. de Kalmoukie
GÉORGIE
ARMÉNIE
Rép. du Daguestan
AZERBAÏDJAN
KAZAKHSTAN
OUZBÉKISTAN
TURKMÉNISTAN
KIRGHIZSTAN
TADJIKISTAN

1   Rép. de Kabardino-Balkarie
2   Rép. d'Ossétie-du-Nord
3   Rép. de Tchétchénie* et Rép. d'Ingouchie
4   Rép. de Karatchaïevo-Tcherkessie
*   Rép. n'ayant pas signé le traité de la Fédération

CONSULTER...

Proportion de Russes dans
les États hors Russie
(en % de Russes, en 1989)

moins de 10 %

de 10 à 20 %

de 20 à 40 %

de 40 à 60 %

de 60 à 80 %

—— Limites d'États

—— Limite de l'ex-URSS

------ Limites administratives
des républiques composant
la fédération de Russie

Espace désertique
ou peu peuplé

République de Sakha

S   I   E

Rép. de
Bouriatie

Rép. de Khakassie

Rép.
l'Altaï

Rép. de Touva

La dissolution de l'empire soviétique a laissé la place à une mosaïque de peuplement dominée par la population russe. L'URSS, et avant elle l'empire tsariste, avaient en effet inauguré une politique de russification des territoires conquis et de mise en tutelle des peuples minoritaires. Ainsi, les quinze républiques fédérées de l'URSS, qui depuis 1991 sont des États indépendants, comptent toutes dans leur population une forte minorité de Russes, dont la soumission aux anciens colonisés pose problème, particulièrement en Lettonie, en Estonie, en Ukraine (Crimée) et dans le nord du Kazakhstan. Les minorités nationales de la Russie revendiquent à leur tour une plus grande autonomie ou leur indépendance, parfois les armes à la main, comme en Tchétchénie.

Océanie

L'Océanie dans le monde

Avec seulement 0,3 % de la population mondiale, le moins peuplé des continents commence à manifester sa présence dans le commerce international (1,5 % des échanges). L'Australie et la Nouvelle-Zélande ont en effet su diversifier leurs relations économiques, longtemps centrées sur l'ancienne métropole coloniale britannique, pour accroître leurs échanges avec la zone du Sud-Est asiatique à laquelle ils fournissent principalement des matières premières minières et alimentaires mais également de plus en plus de produits manufacturés. Relativement peu affectés par la crise asiatique, les échanges entre l'Océanie et l'Asie continuent de se développer.

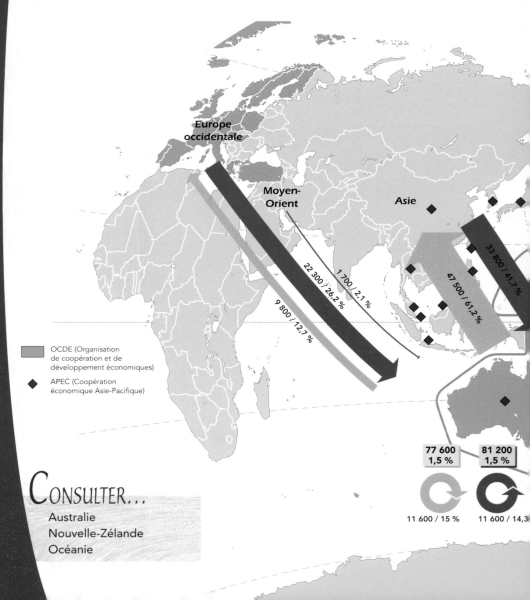

Europe occidentale

Moyen-Orient

Asie

22 300 / 26,2 %

1 700 / 2,1 %

9 800 / 12,7 %

33 800 / 41,7 %

47 500 / 61,2 %

OCDE (Organisation de coopération et de développement économiques)

APEC (Coopération économique Asie-Pacifique)

77 600 1,5 %

81 200 1,5 %

11 600 / 15 %

11 600 / 14,3

Consulter...

Australie
Nouvelle-Zélande
Océanie

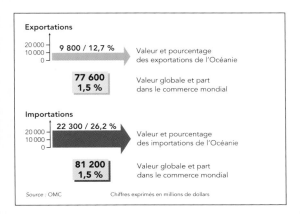

Exportations

20 000
10 000
0

9 800 / 12,7 % → Valeur et pourcentage
des exportations de l'Océanie

77 600
1,5 % Valeur globale et part
dans le commerce mondial

Importations

20 000
10 000
0

22 300 / 26,2 % → Valeur et pourcentage
des importations de l'Océanie

81 200
1,5 % Valeur globale et part
dans le commerce mondial

Source : OMC Chiffres exprimés en millions de dollars

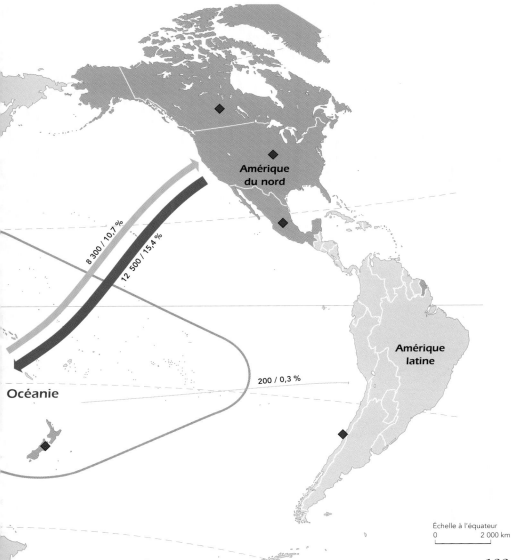

Amérique du nord

8 300 / 10,7 %

12 500 / 15,4 %

200 / 0,3 %

Océanie

Amérique latine

Échelle à l'équateur
0   2 000 km

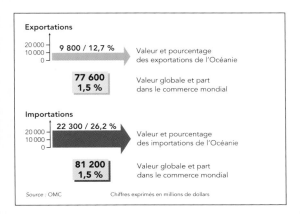

Table des cartes

LES GRANDS ENSEMBLES RÉGIONAUX